D0811290

envie de...

cuisine italienne

Bath · New York · Singapore · Hong Kong · Cologne · Delhi · Melbourne

Queen Street House
4 Queen Street
Bath, BA1 1HE
Royaume-Uni

Conception et réalisation : Terry Jeavons & Company

Réalisation : InTexte, Toulouse

ISBN : 978-1-4075-1044-6

Imprimé en Chine

Une cuillerée à soupe correspond à 15 à 20 g d'ingrédients secs et à 15 ml d'ingrédients liquides. Une cuillerée à café correspond à 3 à 5 g d'ingrédients secs et à 5 ml d'ingrédients liquides. Sans autre précision, le lait est entier, les œufs sont de taille moyenne et le poivre est du poivre noir fraîchement moulu. Les temps de préparation et de cuisson des recettes pouvant varier en fonction, notamment, du four utilisé, ils sont donnés à titre indicatif.

La consommation des œufs crus ou peu cuits est déconseillée aux enfants, aux personnes âgées, malades ou convalescentes, et aux femmes enceintes.

envie de...
cuisine italienne

introduction	4
entrées, soupes & salades	6
viandes & volailles	46
poissons & fruits de mer	106
plats de légumes	156
desserts	202
index	240

introduction

La cuisine italienne repose sur une composante très spéciale, l'amour légendaire des Italiens pour les bonnes choses, parmi lesquelles la nourriture n'occupe pas la dernière place. Les enfants s'initient très tôt aux techniques culinaires, car les méthodes et les recettes sont transmises de génération en génération. De même, les habitants de ce pays ont le goût des repas bien préparés, qu'il s'agisse de pâtes *al dente* avec une simple sauce à base de tomates bien mûres et fraîchement cueillies, d'un ragoût de bœuf au vin rouge mijotant pendant des heures ou d'un délicieux risotto de fruits de mer.

L'essence de la cuisine transalpine, dit-on souvent, se résume en deux mots, saisonnière et régionale. Les Italiens respectent leurs ingrédients et insistent sur leur qualité. Ils préfèrent donc se servir de produits de saison, si possible cultivés dans leur région. Dans les villes et les villages de province, les autochtones font quotidiennement leur

marché et organisent le menu du jour en fonction de ce qui sent bon et qui paraît beau.

Ce principe exerce un effet durable sur le style de la cuisine italienne, et la simplicité reste le maître mot. Mais ce concept a un sens différent dans toutes les régions d'Italie. Cela tient à la diversité géographique et culturelle du pays. Le Nord est plus frais et humide, le Sud chaud et sec, comme le montrent les cultures. Au Nord, le beurre, la crème et le fromage entrent pour une bonne part dans la tradition gastronomique ; on y cultive le riz et le maïs, aussi le risotto et la polenta tiennent-ils une place de choix. Le Sud, en revanche, est le royaume des pâtes, des olives, de l'huile d'olive, des tomates, des aubergines et des citrons.

Les différences culturelles proviennent du fait que l'Italie a procédé récemment à l'« unification » de régions indépendantes qui possèdent toutes des traditions très prisées. Voilà sans doute l'origine de la séduction irrésistible de la cuisine italienne. Quelle que soit sa source, cependant, appréciez-la !

entrées, soupes & salades

Dans ce pays, les soupes sont si onctueuses et délicieuses qu'elles peuvent composer une collation à elles seules. Les légumes constituent le principal ingrédient d'un bon potage auquel il est parfois possible d'ajouter des pâtes alphabet ou un peu de riz, de la viande, du poisson ou des fruits de mer. Les Italiens sont créatifs quand il est question d'adapter leurs recettes aux légumes de saison. Vous pouvez donc l'être aussi.

Si les soupes sont un plaisir des yeux, c'est aussi le cas des antipasti. Ces entrées savoureuses, légères et appétissantes donnent directement accès à la suite du repas. Elles sont constituées de viandes fumées, de légumes, de fruits de mer, de fromage et de salades. Les ingrédients se distinguent par leur frugalité, mais leur effet esthétique est toujours réussi. C'est notamment de la salade de tomates fraîches, mélangée à la mozzarella, et à quelques feuilles de basilic parfumé. Ajoutez-y plusieurs tranches de prosciutto, le délicieux jambon fumé italien, et n'hésitez pas à leur adjoindre des fruits frais comme le melon ou les figues, ou encore des feuilles de salade comme la roquette.

L'huile d'olive fait de fréquentes incursions dans la liste des ingrédients de l'antipasto. Gardez votre meilleure bouteille d'huile d'olive, issue d'une première pression à froid, pour l'assaisonnement ou les quelques gouttes dont vous arroserez un plat chaud, car l'excellence de son goût relève indéniablement les mets.

soupe de tomates

ingrédients

POUR 4 PERSONNES

1 cuil. à soupe d'huile d'olive
650 g de tomates
1 oignon, coupé en quartiers
1 gousse d'ail, finement émincée
1 branche de céleri, grossièrement hachée
500 ml de bouillon de volaille
55 g d'anellini ou autres pâtes à soupe
sel et poivre
brins de persil plat frais, en garniture

méthode

1 Dans une casserole, verser l'huile d'olive, ajoutes les tomates, l'oignon, l'ail et le céleri, et couvrir. Cuire 45 minutes à feu doux en secouant délicatement la casserole de temps en temps, jusqu'à ce que la préparation ait épaissi.

2 Transférer la préparation dans un robot de cuisine, réduire en purée et filtrer dans une passoire. Verser dans une casserole propre.

3 Verser le bouillon, porter à ébullition et ajouter les pâtes. Cuire 8 à 10 minutes, jusqu'à ce que les pâtes soient *al dente*. Saler, poivrer et répartir dans des bols chauds. Garnir de persil et servir immédiatement.

minestrone

ingrédients

POUR 4 PERSONNES

3 cuil. à soupe d'huile d'olive
2 oignons, hachés
1/2 petit chou, tiges dures retirées et feuilles ciselées
2 courgettes détaillées en cubes
2 branches de céleri
2 carottes détaillées en cubes
2 pommes de terre détaillées en cubes
4 grosses tomates, mondées, épépinées et concassées
115 g de haricots cannellini secs, couverts d'eau froide et mis à tremper 12 heures
1,2 l de bouillon de volaille ou de légumes
115 g de pâtes à soupe
sel et poivre
copeau de parmesan, en garniture
4 cuil. à soupe de parmesan fraîchement râpé, en garniture

méthode

1 Dans une casserole, chauffer l'huile, ajouter les oignons et cuire 5 minutes à feu doux en remuant de temps en temps, jusqu'à ce qu'ils soient tendres.

2 Ajouter le chou, les courgettes, le céleri, les carottes, les pommes de terre et les tomates, couvrir et cuire 10 minutes en remuant de temps en temps.

3 Égoutter les haricots, rincer et ajouter dans la casserole. Mouiller avec le bouillon, porter à ébullition et couvrir. Laisser mijoter 1 heure à 1 h 30, jusqu'à ce que les haricots soient tendres.

4 Ajouter les pâtes et cuire 8 à 10 minutes sans couvrir, jusqu'à ce qu'elles soient *al dente*. Saler, poivrer et répartir dans des bols chauds. Garnir de copeaux de parmesan, poivrer de nouveau et servir accompagné de parmesan râpé, présenté séparément.

bouillon de bœuf aux œufs

ingrédients

POUR 4 PERSONNES

bouillon

500 g d'os à moelle de bœuf, coupés en tronçons de 3 cm
350 g de bœuf à braiser, en un seul morceau
1,4 l d'eau
4 clous de girofle
2 oignons, coupés en deux
2 branches de céleri, grossièrement hachées
8 grains de poivre
1 bouquet garni

garniture

55 g de beurre
4 tranches de pain blanc frais
115 g de parmesan frais, râpé
4 œufs
sel et poivre

méthode

1 Pour le bouillon, mettre les os dans une casserole, placer la viande dessus et verser l'eau. Porter à ébullition à feu doux en écumant régulièrement la surface. Piquer un clou de girofle dans chaque moitié d'oignon et ajouter dans la casserole avec le céleri, les grains de poivre et le bouquet garni. Couvrir partiellement et laisser mijoter 3 heures à feu doux. Retirer la viande et cuire encore 1 heure.

2 Filtrer le bouillon, transférer dans une terrine et laisser refroidir. Mettre au réfrigérateur 6 heures à une nuit. Dégraisser soigneusement la surface, verser dans une casserole et porter à frémissement.

3 Dans une poêle, faire fondre le beurre, ajouter le pain, une tranche à la fois si nécessaire, et cuire à feu moyen jusqu'à ce qu'il soit doré et croustillant. Retirer de la poêle et répartir dans 4 bols chauds.

4 Garnir les tranches de pain de la moitié du parmesan. Casser délicatement un œuf dans chaque bol en veillant à ne pas percer le jaune, saler et poivrer. Répartir le parmesan restant sur les œufs, verser le bouillon frémissant sur le tout et servir immédiatement.

soupe aux haricots blancs

ingrédients

POUR 4 PERSONNES

175 g de cannellini secs, couverts d'eau froide et mis à tremper 12 heures
1,6 l de bouillon de volaille ou de légumes
115 g de spirali
6 cuil. à soupe d'huile d'olive
2 gousses d'ail, finement hachées
4 cuil. à soupe de persil plat frais haché
sel et poivre
pain frais, en accompagnement

méthode

1 Égoutter les haricots, mettre dans une grande casserole et ajouter le bouillon. Porter à ébullition, couvrir partiellement et laisser mijoter 2 heures à feu doux, jusqu'à ce que les haricots soient tendres.

2 Transférer la moitié des haricots et un peu de jus de cuisson dans un robot de cuisine et réduire en purée homogène. Remettre dans la casserole, mélanger le tout et porter de nouveau à ébullition.

3 Ajouter les pâtes, porter de nouveau à ébullition et cuire 10 minutes, jusqu'à ce qu'elles soient *al dente*.

4 Dans une casserole, chauffer 4 cuillerées à soupe d'huile, ajouter l'ail et cuire 4 à 5 minutes à feu doux en remuant souvent, jusqu'à ce qu'il soit doré. Incorporer l'ail et le persil à la soupe, saler et poivrer. Répartir la soupe dans des assiettes à soupe chaudes, arroser de l'huile d'olive restante et servir immédiatement accompagné de pain frais.

soupe de légumes génoise

ingrédients

POUR 8 PERSONNES

200 g de feuilles d'épinard
225 g de tomates
2 oignons, émincés
2 carottes, coupées en dés
2 branches de céleri, coupées en rondelles
2 pommes de terre, coupées en dés
115 g de petits pois surgelés
115 g de haricots verts, coupés en tronçons de 2,5 cm
2 courgettes, coupées en dés
3 gousses d'ail, émincées
4 cuil. à soupe d'huile d'olive
2 litres de bouillon de volaille ou de légumes
sel et poivre
140 g de pâtes à soupe
parmesan fraîchement râpé, en garniture

pesto

2 gousses d'ail
25 g de pignons
115 g de basilic frais
sel
55 g de parmesan, râpé
125 ml d'huile d'olive

méthode

1 Retirer les tiges dures des feuilles d'épinard et ciseler. Inciser les tomates en croix, plonger 35 à 45 secondes dans de l'eau bouillante et égoutter. Monder, épépiner et couper en dés. Dans une casserole, mettre les tomates, les oignons, les carottes, le céleri, les pommes de terre, les petits pois, les haricots verts, les courgettes et l'ail. Incorporer l'huile d'olive, mouiller avec le bouillon et porter à ébullition à feu moyen à vif. Réduire le feu et laisser mijoter 1 h 30 à feu doux.

2 Pour le pesto, mettre l'ail, les pignons, le basilic et 1 pincée de sel dans un mortier et piler jusqu'à obtention d'une pâte homogène. Transférer la préparation obtenue dans un bol et incorporer progressivement le parmesan à l'aide d'une cuillère en bois jusqu'à obtention d'une sauce onctueuse. Rectifier l'assaisonnement, couvrir de film alimentaire et réserver au réfrigérateur.

3 Saler et poivrer la soupe, ajouter les pâtes et cuire 8 à 10 minutes, jusqu'à ce qu'elles soient *al dente*. Incorporer la moitié du pesto, retirer du feu et laisser reposer 4 minutes. Rectifier l'assaisonnement, ajouter du pesto si nécessaire et répartir dans des assiettes à soupe chaudes. Garnir de parmesan râpé et servir immédiatement.

antipasti

ingrédients

POUR 4 PERSONNES

1 melon
55 g de salami italien, coupé en fines tranches
8 tranches de prosciutto
8 tranches de viande des Grisons
8 tranches de mortadelle
4 tomates, coupées en fines rondelles
4 figues fraîches, coupées en quartiers
115 g d'olives noires, dénoyautées
2 cuil. à soupe de basilic frais ciselé
4 cuil. à soupe d'huile d'olive vierge extra, un peu plus en garniture
poivre

méthode

1 Couper le melon en deux, épépiner et couper la chair en 8 quartiers. Répartir sur la moitié d'un grand plat de service.

2 Répartir le salami, le prosciutto, la viande des Grisons et la mortadelle sur l'autre moitié du plat. Disposer les rondelles de tomates et les quartiers de figues au centre du plat.

3 Parsemer d'olives noires et de basilic, et arroser d'huile d'olive. Poivrer et servir accompagné d'huile d'olive supplémentaire.

carpaccio de bœuf mariné

ingrédients

POUR 4 PERSONNES

200 g de filet de bœuf, en un seul morceau
2 cuil. à soupe de jus de citron
sel et poivre
4 cuil. à soupe d'huile d'olive vierge extra
55 g de parmesan, coupé en copeaux
4 cuil. à soupe de persil plat frais haché
quartiers de citron, en garniture
ciabatta ou focaccia, en accompagnement

méthode

1 À l'aide d'un couteau tranchant, couper le filet en tranches très fines et répartir sur 4 assiettes.

2 Verser le jus de citron dans un bol, saler et poivrer. Incorporer l'huile d'olive progressivement sans cesser de battre et arroser la viande. Couvrir de film alimentaire et laisser mariner 10 à 15 minutes.

3 Garnir de copeaux de parmesan, de persil et de quartiers de citron, et servir accompagné de ciabatta ou de focaccia.

figues & jambon de Parme

ingrédients

POUR 4 PERSONNES

175 g de prosciutto,
coupé en fines tranches
poivre
4 figues fraîches
1 citron vert
2 brins de basilic frais

méthode

1 À l'aide d'un couteau tranchant, dégraisser les tranches de prosciutto. Répartir de façon décorative sur 4 assiettes et poivrer selon son goût.

2 Couper les figues en 4 quartiers et répartir sur les assiettes. Couper le citron vert en 6 quartiers, disposer un quartier sur chaque assiette et réserver les quartiers restants. Effeuiller les brins de basilic et garnir chaque assiette de feuilles. Couvrir de film alimentaire et réserver au réfrigérateur.

3 Juste avant de servir, retirer les assiettes du réfrigérateur, presser le jus des quartiers de citron vert restants et servir.

prosciutto & roquette

ingrédients

POUR 4 PERSONNES

115 g de roquette
1 cuil. à soupe de jus de citron
sel et poivre
3 cuil. à soupe d'huile d'olive vierge extra
225 g de prosciutto, coupé en fines tranches

méthode

1 Retirer les tiges de la roquette, rincer à l'eau courante et sécher avec du papier absorbant. Mettre dans une terrine.

2 Dans un bol, verser le jus de citron, saler et poivrer. Incorporer progressivement l'huile d'olive sans cesser de battre et verser le tout dans la terrine. Bien mélanger.

3 Répartir le prosciutto dans 4 assiettes, ajouter la roquette et servir à température ambiante.

crostinis au poulet

ingrédients

POUR 4 PERSONNES

12 tranches de baguette
4 cuil. à soupe d'huile d'olive
2 gousses d'ail, hachées
2 cuil. à soupe d'origan frais finement haché
sel et poivre
100 g de poulet rôti froid, coupé en petits morceaux
4 tomates, coupées en rondelles
12 fines rondelles de fromage de chèvre
12 olives noires, dénoyautées et hachées
mesclun, en garniture

méthode

1 Préchauffer le four à 180 °C (th. 6) et le gril à température moyenne. Passer les tranches de pain au gril jusqu'à ce qu'elles soient grillées sur les deux faces. Dans un bol, verser l'huile d'olive et ajouter l'ail et l'origan. Saler, poivrer et bien mélanger le tout. Enduire une face de chaque tranche de pain du mélange obtenu.

2 Disposer les tranches de pain sur une plaque de four, côté huilé vers le haut. Répartir le poulet sur le pain, ajouter des rondelles de tomate et couvrir avec les rondelles de fromage. Garnir d'olives, arroser du mélange à base d'huile et cuire 5 minutes au four préchauffé, jusqu'à ce que le fromage soit doré et grésille. Retirer du four et servir sur un lit de mesclun.

caponata

ingrédients

POUR 4 PERSONNES

4 cuil. à soupe d'huile d'olive
2 branches de céleri, émincées
2 oignons rouges, émincés
450 g d'aubergines, coupées en dés
1 gousse d'ail, finement hachée
5 tomates, concassées
3 cuil. à soupe de vinaigre de vin rouge
1 cuil. à soupe de sucre
3 cuil. à soupe d'olives vertes, dénoyautées
2 cuil. à soupe de câpres
sel et poivre
4 cuil. à soupe de persil plat frais haché
ciabatta, en accompagnement

méthode

1 Dans une casserole, chauffer la moitié de l'huile, ajouter le céleri et les oignons, et cuire 5 minutes à feu doux en remuant de temps en temps, jusqu'à ce qu'ils soient tendres, sans laisser dorer. Ajouter l'huile restante et les dés d'aubergines, et cuire 5 minutes en remuant souvent, jusqu'à ce que les aubergines soient légèrement dorées.

2 Ajouter l'ail, les tomates, le vinaigre et le sucre, bien mélanger et couvrir de papier sulfurisé. Laisser mijoter 10 minutes.

3 Retirer le papier sulfurisé, incorporer les olives et les câpres, saler et poivrer. Transférer dans un plat de service et laisser refroidir à température ambiante. Garnir de persil et servir accompagné de ciabatta.

tomates farcies à la sicilienne

ingrédients

POUR 4 PERSONNES

8 grosses tomates mûres
7 cuil. à soupe d'huile d'olive vierge extra
2 oignons, finement hachés
2 gousses d'ail, hachées
115 g de chapelure fraîche
8 filets d'anchois à l'huile, égouttés et hachés
3 cuil. à soupe d'olives noires dénoyautées et hachées
2 cuil. à soupe de persil plat frais haché
1 cuil. à soupe d'origan frais haché
4 cuil. à soupe de parmesan frais haché

méthode

1 Décalotter les tomates, épépiner à l'aide d'une cuillère à soupe en veillant à ne pas percer la peau et retourner sur du papier absorbant de façon à bien égoutter.

2 Dans une poêle, chauffer 6 cuillerées à soupe d'huile d'olive, ajouter les oignons et l'ail, et cuire 5 minutes à feu doux en remuant de temps en temps, jusqu'à ce qu'ils soient tendres. Retirer la poêle du feu et incorporer la chapelure, les anchois, les olives et les fines herbes.

3 À l'aide d'une cuillère à café, farcir les tomates et mettre en une seule couche dans un plat allant au four. Parsemer de parmesan et arroser de l'huile d'olive restante.

4 Cuire au four préchauffé 20 à 25 minutes à 190 °C (th. 6-7), jusqu'à ce que les tomates soient tendres et la garniture dorée.

5 Sortir du four et servir immédiatement ou laisser refroidir et servir à température ambiante.

artichauts à la romaine

ingrédients

POUR 4 PERSONNES

5 cuil. à soupe de jus de citron
4 artichauts
1 gousse d'ail
4 brins de persil plat frais
2 brins de menthe
1 citron, coupé en quartiers
4 cuil. à soupe d'huile d'olive
sel et poivre
2 cuil. à soupe de chapelure blanche
2 gousses d'ail, finement hachées
2 cuil. à soupe de persil plat frais haché
2 cuil. à soupe de menthe fraîche hachée
15 g de beurre, coupé en dés

méthode

1 Remplir une terrine d'eau et verser 4 cuillerées à soupe de jus de citron. Retirer les tiges et les feuilles externes des artichauts et couper le quart supérieur des feuilles restantes. Procéder en plongeant au fur et à mesure les artichauts dans l'eau citronnée.

2 Dans une casserole, mettre les artichauts côte à côte, ajouter l'ail entier, les brins d'herbes, le citron et l'huile d'olive, saler et poivrer. Verser de l'eau de sorte que les artichauts soient immergés aux deux tiers, porter à ébullition à feu doux et couvrir. Laisser mijoter 15 minutes.

3 Mélanger la chapelure, l'ail haché et les herbes hachées, saler et poivrer.

4 Retirer les artichauts de la casserole et laisser tiédir. Écarter délicatement les feuilles pour ôter les cônes de feuilles tendres et le foin, saler et poivrer. Remettre les cœurs dans la casserole, garnir du mélange à base de chapelure et couvrir. Cuire à feu doux 20 à 30 minutes, jusqu'à ce que les cœurs soient tendres. Répartir dans des assiettes à l'aide d'une écumoire.

5 Filtrer le liquide de cuisson, transférer dans une petite casserole et porter à ébullition à feu vif. Cuire jusqu'à ce que le liquide ait réduit, baisser le feu et ajouter le jus de citron restant. Ajouter le beurre, un dé à la fois, sans cesser de remuer jusqu'à ce qu'il ait fondu. Veiller à ne pas laisser bouillir. Servir les artichauts et la sauce séparément.

salade de pâtes aux poivrons grillés

ingrédients

POUR 4 PERSONNES

1 poivron rouge
1 poivron orange
280 g de conchiglie
5 cuil. à soupe d'huile d'olive vierge extra
2 cuil. à soupe de jus de citron
2 cuil. à soupe de pesto prêt à l'emploi
1 gousse d'ail, finement hachée
3 cuil. à soupe de feuilles de basilic finement ciselées
sel et poivre

méthode

1 Préchauffer le gril. Mettre les poivrons sur une plaque et passer au gril 15 minutes en les retournant souvent, jusqu'à ce qu'ils noircissent. Retirer à l'aide de pinces, mettre dans une terrine et réserver.

2 Porter à ébullition une casserole d'eau salée, ajouter les pâtes et cuire 8 à 10 minutes, jusqu'à ce qu'elles soient *al dente*.

3 Dans un bol, mettre l'huile d'olive, le jus de citron, le pesto et l'ail, et bien battre le tout. Égoutter les pâtes, incorporer le mélange précédent aux pâtes encore chaudes et réserver.

4 Laisser tiédir les poivrons et retirer la peau. Ouvrir, épépiner et couper la chair en lanières. Ajouter aux pâtes, incorporer le basilic, saler et poivrer. Bien mélanger le tout et servir immédiatement.

salade de pâtes chaude

ingrédients

POUR 4 PERSONNES

225 g de farfalles
6 tomates séchées au soleil à l'huile, égouttées et hachées
4 oignons verts, hachés
55 g de roquette, ciselée
1/2 concombre, épépiné et coupé en dés
sel et poivre
2 cuil. à soupe de parmesan fraîchement râpé

sauce

4 cuil. à soupe d'huile d'olive
1/2 cuil. à café de sucre en poudre
1 cuil. à soupe de vinaigre de vin blanc
1 cuil. à café de moutarde de Dijon
sel et poivre
4 feuilles de basilic frais, finement ciselées

méthode

1 Pour la sauce, verser l'huile d'olive dans un bol, ajouter le sucre, le vinaigre et la moutarde, et bien battre le tout. Saler, poivrer et incorporer le basilic.

2 Porter une casserole d'eau salée à ébullition, ajouter les pâtes et cuire 8 à 10 minutes, jusqu'à ce qu'elles soient *al dente*. Égoutter, transférer dans un saladier et incorporer la sauce.

3 Ajouter les tomates séchées, les oignons verts, la roquette et le concombre, saler et poivrer. Saupoudrer de parmesan râpé et servir chaud.

salade de tomates à la mozzarella

ingrédients

POUR 4 PERSONNES

1 oignon rouge finement émincé
4 tranches de pain rassis
450 g de tomates, coupées en fines rondelles
115 g de mozzarella de bufflonne, coupée en fines lamelles
1 cuil. à soupe de basilic frais ciselé
sel et poivre
125 ml d'huile d'olive vierge extra
3 cuil. à soupe de vinaigre balsamique
4 cuil. à soupe de jus de citron
115 g d'olives noires, dénoyautées et émincées

méthode

1 Dans une terrine, mettre les oignons, couvrir d'eau froide et laisser tremper 10 minutes. Plonger les tranches de pain dans de l'eau froide, presser de façon à exprimer l'excédent d'eau et répartir dans un plat de service.

2 Égoutter les oignons, répartir sur le pain et ajouter les tomates et la mozzarella. Parsemer de basilic, saler et poivrer.

3 Arroser d'huile d'olive, de vinaigre et de jus de citron, parsemer de rondelles d'olives et couvrir. Mettre au réfrigérateur 8 heures et servir.

salade tricolore

ingrédients

POUR 4 PERSONNES

280 g de mozzarella de bufflonne, égouttée et coupée en fines lamelles
8 tomates, coupées en rondelles
sel et poivre
20 feuilles de basilic frais
125 ml d'huile d'olive vierge extra

méthode

1 Répartir les tomates et la mozzarella dans 4 assiettes, saler et laisser reposer 30 minutes dans un endroit frais.

2 Parsemer de feuilles de basilic, arroser d'huile d'olive et poivrer. Servir immédiatement.

salade aux tomates séchées & à la mozzarella

ingrédients

POUR 4 PERSONNES

140 g de tomates séchées au soleil à l'huile d'olive (poids égoutté), huile réservée
1 cuil. à soupe de basilic ciselé
1 cuil. à soupe de persil plat frais ciselé
1 cuil. à soupe de câpres, rincées
1 cuil. à soupe de vinaigre balsamique
1 gousse d'ail, grossièrement hachée
huile d'olive, si nécessaire
poivre
100 g de mesclun
500 g de mozzarella fumée, coupée en lamelles

méthode

1 Dans un robot de cuisine, mettre les tomates séchées, le basilic, le persil, les câpres, l'ail et le vinaigre. Ajouter si nécessaire de l'huile d'olive à l'huile des tomates séchées de façon à obtenir 150 ml, ajouter dans le robot et mixer jusqu'à obtention d'une consistance homogène. Poivrer selon son goût.

2 Répartir le mesclun dans les assiettes, garnir de lamelles de mozzarella et napper de sauce. Servir immédiatement.

salade de roquette aux artichauts

ingrédients

POUR 4 PERSONNES

8 petits artichauts
jus de 2 citrons
1 botte de roquette
sel et poivre
125 ml d'huile d'olive vierge extra
115 g de pecorino

méthode

1 Retirer la tige des artichauts, couper le quart supérieur des feuilles et ôter les feuilles extérieures dures. Retirer le foin à l'aide d'une petite cuillère et enduire immédiatement de jus de citron de façon à éviter l'oxydation.

2 Couper les artichauts en lamelles, mettre dans un saladier et ajouter la roquette, le jus de citron restant et l'huile d'olive. Saler, poivrer et bien mélanger le tout.

3 À l'aide d'un économe, prélever des copeaux de pecorino, parsemer la salade et servir immédiatement.

viandes & volailles

Traditionnellement, les Italiens les plus riches gardaient les meilleures pièces de viande, provenant des animaux élevés dans de gras pâturages, tandis que leurs compatriotes peu aisés attendrissaient les morceaux moins nobles par une cuisson lente, ce qui leur a permis de créer certains des plats nationaux les plus exquis.

Le veau reste très populaire en Italie, et le porc, l'agneau, le bœuf ainsi que la volaille sont également utilisés dans de nombreuses recettes. Ce chapitre illustre quelques-unes des manières d'accommoder ces viandes. Vous ferez souffler un petit vent transalpin sur votre table, en les rôtissant, en les grillant, en les braisant ou en les cuisinant à la poêle, avec des tomates ou des épices qui permettront de concocter des sauces riches pour les plats de pâtes ou avec le riz italien à la texture unique, pour préparer un risotto.

Beaucoup de familles rurales italiennes élèvent un cochon chaque année pour sa viande, et tout ce qui ne convient pas aux rôtis, aux ragoûts, au jambon ou au bacon est reconverti dans les nombreux salamis, plats de viande fumée et saucisses qui font la réputation du pays. Il est précieux de savoir quelle est la viande fumée idéale pour une recette, par exemple la pancetta, panse de porc salée et épicée, qui donne beaucoup de goût aux spaghettis carbonara, nappés d'une sauce à la crème.

boulettes de viande & spaghettis

ingrédients

POUR 6 PERSONNES

1 pomme de terre, coupée en dés
400 g de steak haché
1 oignon, finement haché
1 œuf
4 cuil. à soupe de persil plat frais haché
farine, pour saupoudrer
5 cuil. à soupe d'huile d'olive vierge extra
400 ml de coulis de tomate
2 cuil. à soupe de concentré de tomate
400 g de spaghettis
sel et poivre

garniture

6 feuilles de basilic frais, ciselées
parmesan fraîchement râpé

méthode

1 Dans une casserole, mettre la pomme de terre, couvrir d'eau froide et ajouter 1 pincée de sel. Porter à ébullition et cuire 10 à 15 minutes, jusqu'à ce qu'elle soit tendre. Égoutter, réduire en purée et mettre dans une terrine.

2 Incorporer la viande, l'oignon, l'œuf et le persil, saler et poivrer. Les mains mouillées, façonner des boulettes, passer dans la farine et secouer de façon à retirer l'excédent de farine.

3 Dans une poêle, chauffer l'huile d'olive, ajouter les boulettes et cuire 8 à 10 minutes à feu moyen en remuant souvent, jusqu'à ce qu'elles soient dorées.

4 Ajouter le coulis et le concentré de tomate, et cuire encore 10 minutes, jusqu'à ce que la sauce ait réduit et épaissi.

5 Porter une casserole d'eau salée à ébullition, ajouter les pâtes et cuire 8 à 10 minutes, jusqu'à ce qu'elles soient *al dente*.

6 Égoutter, ajouter aux boulettes et mélanger de façon à bien les enrober de sauce. Transférer dans un plat de service chaud, garnir de feuilles de basilic et de parmesan et servir immédiatement.

spaghettis à la bolognaise

ingrédients

POUR 4 PERSONNES

2 cuil. à soupe d'huile d'olive
30 g de beurre
1 petit oignon, finement haché
1 carotte, finement râpée
1 branche de céleri, finement émincée
50 g de champignons, coupés en dés
225 g de viande de bœuf, hachée
75 g de lard ou de jambon non fumé, coupé en dés
2 foies de poulet, coupés en dés
2 cuil. à soupe de concentré de tomate
125 ml de vin blanc sec
sel et poivre
1/2 cuil. à café noix muscade fraîchement râpée
300 ml de bouillon de volaille
125 ml de crème fraîche épaisse
450 g de spaghettis
2 cuil. à soupe de persil plat frais haché, en garniture
parmesan fraîchement râpé, en garniture

méthode

1 Dans une grande casserole, chauffer l'huile et le beurre à feu moyen, ajouter l'oignon, la carotte, le céleri et les champignons, et cuire jusqu'à ce qu'ils soient tendres. Ajouter le lard et la viande, et cuire jusqu'à ce qu'ils soient uniformément dorés.

2 Incorporer les foies et le concentré de tomate, et cuire 2 à 3 minutes. Mouiller avec le vin, saler, poivrer et incorporer la noix muscade. Mouiller avec le bouillon, porter à ébullition et couvrir. Cuire 1 heure à feu doux. Incorporer la crème fraîche et laisser mijoter sans couvrir jusqu'à ce que la préparation ait réduit.

3 Porter à ébullition une casserole d'eau salée, ajouter les pâtes et cuire jusqu'à ce qu'elles soient *al dente*. Égoutter et transférer dans un plat de service.

4 Napper les pâtes de sauce, garnir de persil et de parmesan, et servir immédiatement.

tagliatelles & leur sauce à la viande

ingrédients

POUR 4 PERSONNES

4 cuil. à soupe d'huile d'olive, un peu plus pour garnir
85 g de pancetta ou de lard découenné, coupés en dés
1 oignon, haché
1 gousse d'ail, finement hachée
1 carotte, hachée
1 branche de céleri, hachée
225 g de steak haché
115 g de foies de poulet, hachés
2 cuil. à soupe de coulis de tomate
125 ml de vin blanc sec
250 ml de bouillon de bœuf ou d'eau
1 cuil. à soupe d'origan frais haché
1 feuille de laurier
sel et poivre
450 g de tagliatelles sèches
parmesan fraîchement râpé, en garniture

méthode

1 Dans une casserole, chauffer l'huile, ajouter la pancetta ou le lard, et cuire 3 à 5 minutes à feu moyen en remuant de temps en temps, jusqu'à ce qu'elle soit légèrement dorée. Ajouter l'oignon, l'ail, la carotte et le céleri, et cuire encore 5 minutes en remuant de temps en temps.

2 Ajouter le steak haché et cuire 5 minutes à feu vif en écrasant bien le tout à l'aide d'une cuillère en bois. Incorporer les foies de poulet et cuire encore 2 à 3 minutes en remuant de temps en temps. Ajouter le coulis de tomate, mouiller avec le vin et le bouillon, et incorporer l'origan et le laurier. Saler, poivrer et porter à ébullition. Réduire le feu, couvrir et laisser mijoter 30 à 35 minutes.

3 Porter une casserole d'eau à ébullition, ajouter les pâtes et cuire 8 à 10 minutes, jusqu'à ce qu'elles soient *al dente*. Égoutter, transférer dans un plat de service et arroser d'huile d'olive. Bien mélanger le tout.

4 Retirer le laurier de la sauce, napper les pâtes et bien mélanger de nouveau. Servir immédiatement, garni de parmesan.

steak grillé aux tomates & à l'ail

ingrédients

POUR 4 PERSONNES

3 cuil. à soupe d'huile d'olive, un peu plus pour graisser
700 g de tomates, mondées et concassées
1 poivron rouge, épépiné et haché
1 oignon, haché
2 gousses d'ail, très finement hachées
1 cuil. à soupe de persil plat frais haché
1 cuil. à café d'origan séché
1 cuil. à café de sucre
sel et poivre
4 steaks ou entrecôtes de 175 g chacun

méthode

1 Dans une casserole, mettre l'huile, les tomates, le poivron, l'oignon, l'ail, le persil, l'origan et le sucre, saler et poivrer. Porter à ébullition et laisser mijoter 15 minutes.

2 Parer et dégraisser la viande, poivrer et badigeonner d'huile d'olive. Cuire au gril préchauffé selon son goût : 2 à 3 minutes sur chaque face pour une cuisson saignante, 3 à 4 minutes pour une cuisson à point, et 4 à 5 minutes pour une viande bien cuite.

3 Transférer la viande dans des assiettes, napper de sauce et servir immédiatement.

bœuf en sauce au vin rouge

ingrédients

POUR 4 PERSONNES

1,25 kg de gîte de bœuf
sel et poivre
3 cuil. à soupe d'huile d'olive
1 oignon rouge, haché
1 gousse d'ail, finement hachée
2 carottes, coupées en rondelles
2 branches de céleri, émincées
300 ml de chianti
200 g de tomates concassées en boîte
1 cuil. à soupe d'origan frais haché
1 cuil. à soupe de persil plat frais haché
1 feuille de laurier

méthode

1 Saler et poivrer la viande. Dans une cocotte, chauffer l'huile d'olive, ajouter la viande et cuire à feu moyen en remuant souvent jusqu'à ce qu'elle soit uniformément dorée. Retirer de la cocotte à l'aide de 2 fourchettes.

2 Réduire le feu, ajouter l'oignon, les carottes, l'ail et le céleri, et cuire 5 minutes sans cesser de remuer, jusqu'à ce qu'ils soient tendres. Mouiller avec le vin, ajouter les tomates, l'origan, le persil et le laurier, et porter à ébullition.

3 Remettre la viande dans la cocotte, disposer les légumes dessus et couvrir. Cuire au four préchauffé 3 heures à 3 h 15, à 180 °C (th. 6), jusqu'à ce que la viande soit tendre.

4 Mettre la viande sur une planche à découper et couvrir de papier d'aluminium. Remettre la cocotte sur le feu, porter à ébullition et laisser bouillir jusqu'à ce que la sauce ait réduit et épaissi.

5 Découper la viande en tranches et répartir sur des assiettes chaudes. Filtrer le jus de cuisson, napper la viande et servir immédiatement.

lasagnes

ingrédients

POUR 4 PERSONNES

3 cuil. à soupe d'huile d'olive
1 oignon, finement haché
1 branche de céleri, finement émincée
1 carotte, finement hachée
100 g de pancetta ou de lard, finement hachés
175 g de bœuf haché
175 g de porc haché
50 ml de vin rouge
150 ml de bouillon de bœuf
1 cuil. à soupe de concentré de tomate
sel et poivre
1 clou de girofle
1 feuille de laurier
150 ml de lait, frémissant
60 g de beurre, coupé en dés, un peu plus pour graisser
400 g de lasagnes non précuites
300 ml de béchamel (*voir* page 168)
140 g de mozzarella, coupée en dés
140 g de parmesan, fraîchement râpé

méthode

1 Dans une casserole, chauffer l'huile, ajouter l'oignon, le céleri, la carotte, la pancetta et la viande hachée, et cuire 10 minutes à feu moyen en remuant souvent à l'aide d'une cuillère en bois, jusqu'à ce que le tout soit légèrement doré.

2 Mouiller avec le vin, porter à ébullition et cuire jusqu'à ce que la préparation ait réduit. Mouiller avec les deux tiers du bouillon, porter à ébullition et cuire jusqu'à ce que le tout ait réduit. Délayer le concentré de tomate dans le bouillon restant et ajouter dans la casserole. Saler, poivrer et ajouter le clou de girofle et le laurier. Ajouter le lait, couvrir et laisser mijoter 1 h 30 à feu doux. Retirer du feu et jeter le clou de girofle et la feuille de laurier.

3 Graisser un plat à gratin, garnir le fond d'une couche de lasagnes et couvrir d'une couche de garniture. Napper de béchamel et garnir d'un tiers de la mozzarella et du parmesan. Répéter l'opération jusqu'à épuisement des ingrédients en terminant par une couche de béchamel et de fromage.

4 Répartir les dés de beurre sur les lasagnes et cuire au four préchauffé 30 minutes, à 200 °C (th. 6-7), jusqu'à ce que les lasagnes soient dorées.

boulettes de viande surprise

ingrédients

POUR 8 PERSONNES

500 g de viande de bœuf hachée
500 g de viande de porc hachée
2 gousses d'ail, finement hachées
55 g de chapelure blanche fraîche
50 g de parmesan, fraîchement râpé
1 cuil. à café d'origan séché haché
1/2 cuil. à café de cannelle en poudre
zeste râpé et jus d'un citron
2 œufs, légèrement battus
150 g de fontina
6 cuil. à soupe d'huile d'olive vierge
140 g de chapelure blanche sèche
sel et poivre
brins de persil plat frais, en garniture
sauce tomate (*voir* page 80), en accompagnement

méthode

1 Dans une terrine, mettre la viande de bœuf, la viande de porc, l'ail, la chapelure fraîche, le parmesan, l'origan, la cannelle et le zeste de citron, mélanger et incorporer le jus de citron et les œufs. Saler, poivrer et bien mélanger.

2 Les mains mouillées, pétrir la préparation et façonner 16 boulettes.

3 Couper le fromage en 16 cubes, enfoncer chaque cube dans une boulette et reformer les boulettes.

4 Dans une poêle, chauffer l'huile d'olive. Enrober les boulettes de chapelure sèche.

5 Mettre quelques boulettes dans la poêle, faire revenir jusqu'à ce qu'elles soient uniformément dorées et transférer à l'aide d'une écumoire dans un plat allant au four. Répéter l'opération avec les boulettes restantes et cuire au four préchauffé 15 à 20 minutes à 180 °C (th. 6), jusqu'à ce que les boulettes soient bien cuites. Servir immédiatement, garni de brins de persil et accompagné de sauce tomate.

porc à la mozzarella & au prosciutto

ingrédients

POUR 6 PERSONNES

450 g d'échine de porc
2 à 3 gousses d'ail, finement hachées
175 g de mozzarella de bufflonne, égouttée
sel et poivre
12 tranches de prosciutto
12 feuilles de sauge fraîche
55 g de beurre
brins de persil plat frais
rondelles de citron, en garniture

méthode

1 Dégraisser la viande, couper en 12 tranches de 2,5 cm d'épaisseur perpendiculairement au sens de la fibre et attendrir à l'aide d'un maillet à viande ou d'un rouleau à pâtisserie. Frotter chaque tranche d'ail, mettre sur un plat et couvrir de film alimentaire. Laisser reposer 30 minutes à 1 heure.

2 Couper la mozzarella en 12 lamelles. Saler et poivrer la viande, garnir d'une lamelle de mozzarella et d'une tranche de prosciutto, et placer une feuille de sauge au centre. Maintenir le tout à l'aide d'un pique à cocktail.

3 Dans une poêle, faire fondre le beurre, ajouter 4 tranches de viande et cuire 2 à 3 minutes sur chaque face, jusqu'à ce que la viande soit tendre et que le fromage ait fondu. Retirer de la poêle à l'aide d'une écumoire, réserver au chaud et répéter l'opération avec la viande restante.

4 Retirer les piques à cocktail, transférer dans des assiettes chaudes et garnir de persil et de rondelles de citron.

filets de porc au fenouil

ingrédients

POUR 4 PERSONNES

450 g de filet de porc
2 à 3 cuil. à soupe d'huile d'olive
2 cuil. à soupe de sambuca (liqueur italienne)
1 gros bulbe de fenouil, émincé, frondes réservées
85 g de gorgonzola, émietté
2 cuil. à soupe de crème fraîche liquide
1 cuil. à soupe de sauge fraîche hachée
1 cuil. à soupe de thym frais haché
sel et poivre

méthode

1 Dégraisser la viande et couper en lamelles de 5 mm d'épaisseur. Disposer entre 2 morceaux de film alimentaire et attendrir à l'aide d'un maillet à viande ou d'un rouleau à pâtisserie.

2 Dans une poêle, chauffer 2 cuillerées à soupe d'huile, ajouter une partie de la viande et cuire 2 à 3 minutes sur chaque face, jusqu'à ce qu'elle soit tendre. Retirer de la poêle et réserver au chaud. Répéter l'opération avec la viande restante en ajoutant de l'huile si nécessaire.

3 Verser la sambuca dans la poêle, augmenter le feu et chauffer sans cesser de remuer, en raclant le fond de la poêle de façon à détacher les sucs. Ajouter le fenouil et cuire 3 minutes en remuant souvent. Retirer de la poêle et réserver au chaud.

4 Réduire le feu, ajouter le gorgonzola et la crème fraîche, et cuire sans cesser de remuer jusqu'à obtention d'une consistance homogène. Retirer la poêle du feu, ajouter la sauge et le thym, saler et poivrer.

5 Répartir la viande et le fenouil dans 4 assiettes chaudes, napper de sauce et garnir de frondes de fenouil. Servir immédiatement.

gratin de pâtes au porc

Ingrédients

POUR 4 PERSONNES

2 cuil. à soupe d'huile d'olive
1 oignon, haché
1 gousse d'ail, finement hachée
2 carottes, coupées en dés
55 g de pancetta ou de lard, hachés
115 g de champignons, hachés
450 g de porc, haché
125 ml de vin blanc sec
4 cuil. à soupe de coulis de tomate
200 g de tomates concassées en boîte
2 cuil. à café de sauge fraîche ou 1/2 cuil. à café de sauge séchée
sel et poivre
225 g d'elicoidali
140 g de mozzarella, coupée en dés
4 cuil. à soupe de parmesan fraîchement râpé
300 ml de béchamel (*voir* page 168)

méthode

1 Dans une poêle, chauffer l'huile, ajouter l'oignon, l'ail et les carottes, et cuire 5 minutes à feu doux en remuant de temps en temps, jusqu'à ce que l'oignon soit tendre. Ajouter la pancetta et cuire encore 5 minutes. Ajouter les champignons et cuire 2 minutes en remuant souvent. Ajouter la viande hachée et cuire sans cesser de remuer à l'aide d'une cuillère en bois jusqu'à ce qu'elle soit uniformément dorée. Mouiller avec le vin, ajouter le coulis de tomate, les tomates avec leur jus et la sauge, saler et poivrer. Porter à ébullition, couvrir et laisser mijoter 25 à 30 minutes à feu doux.

2 Porter une casserole d'eau salée à ébullition, ajouter les pâtes et cuire 8 à 10 minutes, jusqu'à ce qu'elles soient *al dente*.

3 Répartir la préparation à base de viande dans un plat à gratin. Mélanger la mozzarella, la moitié du parmesan et la béchamel. Égoutter les pâtes, incorporer au mélanger précédent et répartir dans le plat à gratin. Saupoudrer du parmesan restant et cuire au four préchauffé 25 à 30 minutes à 200 °C (th. 6-7), jusqu'à ce que le gratin soit doré. Servir immédiatement.

risotto aux boulettes de porc

ingrédients

POUR 4 PERSONNES

1 tranche de pain épaisse, croûte retirée
eau ou lait, pour tremper
450 g de porc haché
2 gousses d'ail, émincées
1 cuil. à soupe d'oignon finement haché
1 cuil. à café de grains de poivre noir, concassés
1 pincée de sel
1 œuf
huile de maïs, pour la friture
400 g de tomates concassées en boîte
1 cuil. à soupe de concentré de tomate
1 cuil. à café d'origan séché
1 cuil. à café de graines de fenouil
1 pincée de sucre
1 litre de bouillon de bœuf, frémissant
1 cuil. à soupe d'huile d'olive
40 g de beurre
1 petit oignon, haché
280 g de riz pour risotto
150 ml de vin rouge
feuilles de basilic frais, en garniture

méthode

1 Faire tremper le pain de mie 5 minutes dans du lait. Égoutter, exprimer l'excédent de lait et transférer dans une terrine. Ajouter la viande, l'ail, l'oignon, les grains de poivre et le sel, mélanger et incorporer l'œuf. Façonner des boulettes avec la préparation obtenue.

2 Dans une poêle, chauffer l'huile de maïs à feu moyen, ajouter les boulettes et cuire jusqu'à ce qu'elles soient dorées. Égoutter.

3 Dans une casserole, mettre l'origan, le sucre, le concentré, les tomates et les graines de fenouil, ajouter les boulettes et porter à ébullition à feu moyen. Réduire le feu et cuire 30 minutes.

4 Dans une autre casserole, chauffer l'huile et 25 g de beurre à feu moyen, ajouter l'oignon et cuire 5 minutes, jusqu'à ce qu'il soit tendre. Réduire le feu, incorporer le riz et cuire 2 à 3 minutes à feu moyen sans cesser de remuer, jusqu'à ce qu'il soit translucide. Mouiller avec le vin et cuire 1 minute sans cesser de remuer. Mouiller avec une louche de bouillon, cuire sans cesser de remuer jusqu'à absorption et répéter l'opération avec le bouillon restant. Le risotto doit être toujours frémissant. L'opération prend environ 20 minutes. Saler et poivrer.

5 Égoutter les boulettes, ajouter au risotto et retirer du feu. Ajouter le beurre restant, mélanger et répartir le tout dans des assiettes chaudes. Napper de sauce tomate et garnir de basilic.

cannelloni aux épinards & à la ricotta

ingrédients

POUR 4 PERSONNES

12 cannellonis de 7,5 cm de long
beurre, pour graisser

garniture

140 g de jambon cuit, haché
140 g d'épinards surgelés, décongelés et égouttés
115 g de ricotta
1 œuf
3 cuil. à soupe de romano râpé
1 pincée de noix muscade
sel et poivre

sauce au fromage

2 cuil. à soupe de beurre
2 cuil. à soupe de farine
625 ml de lait, chaud
85 g de gruyère, fraîchement râpé
sel et poivre

méthode

1 Porter une casserole d'eau salée à ébullition, ajouter les cannellonis et cuire 6 à 7 minutes, jusqu'à ce qu'ils soient presque tendres. Rincer à l'eau courante et égoutter sur du papier absorbant.

2 Mettre le jambon, les épinards et la ricotta dans un robot de cuisine et mixer quelques secondes. Ajouter l'œuf et le romano, mixer jusqu'à obtention d'une consistance homogène et transférer dans une terrine. Saler, poivrer et incorporer la noix muscade.

3 Graisser un plat à gratin. Transférer la garniture dans une poche à douille munie d'une douille de 1 cm de diamètre, farcir les cannellonis et répartir dans le plat.

4 Pour la sauce, faire fondre le beurre dans une casserole, ajouter la farine et cuire 1 minute à feu doux sans cesser de remuer. Incorporer progressivement le lait chaud et porter à ébullition sans cesser de remuer. Laisser mijoter 10 minutes à feu très doux en remuant de temps en temps, jusqu'à ce que la sauce ait épaissi et soit homogène. Retirer du feu, incorporer le gruyère, saler et poivrer.

5 Napper les cannellonis de sauce, couvrir de papier d'aluminium et cuire au four préchauffé 20 à 25 minutes à 180 °C (th. 6).

spaghettis à la carbonara

ingrédients

POUR 4 PERSONNES

450 g de spaghettis
1 cuil. à soupe d'huile d'olive
225 g de pancetta ou de lard découennés et hachés
4 œufs
5 cuil. à soupe de crème fraîche liquide
sel et poivre
4 cuil. à soupe de parmesan fraîchement râpé

méthode

1 Porter à ébullition une casserole d'eau salée, ajouter les pâtes et cuire 8 à 10 minutes, jusqu'à ce qu'elles soient *al dente*.

2 Dans une poêle, chauffer l'huile d'olive, ajouter la pancetta et cuire 8 à 10 minutes à feu moyen en remuant de temps en temps.

3 Casser les œufs dans un bol, incorporer la crème fraîche et bien battre. Saler et poivrer. Égoutter les pâtes, remettre dans la casserole et incorporer le contenu de la poêle, le contenu du bol et la moitié du parmesan. Bien mélanger le tout, transférer dans un plat de service chaud et garnir du parmesan restant. Servir immédiatement.

saucisses aux haricots

ingrédients

POUR 4 PERSONNES

2 cuil. à soupe d'huile d'olive vierge extra
500 g de saucisses italiennes
140 g de pancetta fumée ou de lard maigre, coupés en dés
2 oignons rouges, hachés
2 gousses d'ail, finement hachées
225 g de haricots borlotti, couverts d'eau et mis à tremper une nuit
2 cuil. à café de romarin frais haché
2 cuil. à café de sauge fraîche hachée
300 ml de vin blanc sec
sel et poivre
brins de romarin frais, en garniture
pain frais, en accompagnement

méthode

1 Dans une cocotte, chauffer l'huile, ajouter les saucisses et cuire 10 minutes à feu doux en remuant souvent, jusqu'à ce qu'elles soient uniformément dorées. Retirer de la cocotte et réserver.

2 Ajouter la pancetta dans la cocotte, augmenter le feu et cuire 5 minutes en remuant souvent, jusqu'à ce qu'elle soit dorée. Retirer de la cocotte à l'aide d'une écumoire et réserver.

3 Ajouter les oignons dans la cocotte et cuire 5 minutes à feu doux en remuant de temps en temps, jusqu'à ce qu'ils soient tendres. Ajouter l'ail et cuire encore 2 minutes.

4 Égoutter les haricots en réservant le liquide de trempage, transférer dans la cocotte et remettre la pancetta et les saucisses. Ajouter délicatement les fines herbes et mouiller avec le vin et 300 ml du liquide de trempage réservé. Saler, poivrer et porter à ébullition. Laisser mijoter 15 minutes sur le feu et cuire au four préchauffé 2 h 45 à 140 °C (th. 4-5).

5 Sortir du four, répartir le tout dans des assiettes chaudes et garnir de brins de romarin. Servir immédiatement, accompagné de pain.

risotto à la saucisse & au romarin

ingrédients

POUR 4 À 6 PERSONNES

2 longs brins de romarin, un peu plus en garniture
1,3 l de bouillon de volaille
2 cuil. à soupe d'huile d'olive
55 g de beurre
1 gros oignon, finement haché
1 branche de céleri, finement hachée
2 gousses d'ail, finement hachées
1/2 cuil. à café de feuilles de thym séchées
450 g de saucisses de porc, coupées en rondelles de 1 cm d'épaisseur
350 g de riz pour risotto
125 ml de vin rouge fruité
85 g de parmesan, fraîchement râpé
sel et poivre

méthode

1 Effeuiller les tiges de romarin, hacher les feuilles et réserver. Dans une casserole, porter le bouillon à ébullition, réduire le feu et maintenir à frémissement.

2 Dans une autre casserole, chauffer l'huile et la moitié du beurre à feu moyen, ajouter l'oignon et le céleri, et cuire 2 minutes en remuant souvent. Ajouter l'ail, le thym, la saucisse et le romarin, et cuire encore 5 minutes en remuant souvent, jusqu'à ce que la saucisse commence à dorer. Transférer la saucisse sur une assiette.

3 Réduire le feu, ajouter le riz et cuire 2 à 3 minutes à feu moyen sans cesser de remuer, jusqu'à ce que le riz soit translucide. Mouiller avec le vin et cuire 1 minute sans cesser de remuer, jusqu'à ce que la préparation ait réduit.

4 Mouiller avec une louche de bouillon, cuire sans cesser de remuer jusqu'à absorption et répéter l'opération avec le bouillon restant. Le risotto doit être toujours frémissant. L'opération prend environ 20 minutes. Ajouter la saucisse, chauffer le tout, saler et poivrer.

5 Retirer le risotto du feu, ajouter le beurre restant et mélanger. Incorporer le parmesan de sorte qu'il fonde et répartir le risotto dans des assiettes chaudes. Garnir de brins de romarin et servir immédiatement.

pâtes au pepperoni

ingrédients

POUR 4 PERSONNES

3 cuil. à soupe d'huile d'olive
1 oignon, haché
1 poivron rouge, épépiné et coupé en dés
1 poivron orange, épépiné et coupé en dés
800 g de tomates concassées en boîte
1 cuil. à soupe de concentré de tomates séchées au soleil
1 cuil. à café de paprika
225 g de pepperoni, émincé
2 cuil. à soupe de persil plat frais haché, un peu plus pour garnir
sel et poivre
450 g de garganelli
mesclun et tomates grappes, en garniture

méthode

1 Dans une poêle, chauffer 2 cuillerées à soupe d'huile d'olive, ajouter l'oignon et cuire 5 minutes à feu doux en remuant de temps en temps, jusqu'à ce qu'il soit tendre. Ajouter les poivrons, les tomates avec leur jus, le concentré de tomates séchées au soleil et le paprika, et porter à ébullition.

2 Ajouter le pepperoni et le persil, saler et poivrer. Bien mélanger le tout, porter à ébullition et réduire le feu. Laisser mijoter 10 à 15 minutes.

3 Porter une casserole d'eau salée à ébullition, ajouter les pâtes et cuire 8 à 10 minutes, jusqu'à ce qu'elles soient *al dente*. Égoutter et transférer dans un plat de service chaud. Incorporer l'huile d'olive restante, ajouter la sauce et bien mélanger. Garnir de persil et servir immédiatement, accompagné de mesclun et de tomates grappes.

pizza des quatre saisons

ingrédients

POUR 2 PERSONNES

pâte à pizza (*voir* page 200)
farine, pour saupoudrer

sauce tomate

2 cuil. à soupe d'huile d'olive
1 petit oignon, finement haché
1 gousse d'ail, hachée
1 poivron rouge, épépiné et haché
225 g de tomates, mondées et concassées
1 cuil. à soupe de concentré de tomate
1 cuil. à café de sucre roux
1 cuil. à soupe de basilic frais haché
1 feuille de laurier
sel et poivre

garniture

75 g de crevettes cuites
60 g de cœurs d'artichaut en boîte, finement émincés
30 g de mozzarella, égouttée et finement émincée
1 tomate, coupée en rondelles
100 g de champignons, émincés
2 cuil. à café de câpres, rincées
2 cuil. à café d'olives noires dénoyautées et émincées
2 cuil. à soupe d'huile d'olive

méthode

1 Pour la sauce, chauffer l'huile dans une poêle, ajouter l'oignon, l'ail et le poivron, et cuire 5 minutes à feu doux en remuant de temps en temps, jusqu'à ce qu'ils soient tendres. Ajouter les tomates, le concentré, le sucre, le basilic et le laurier, saler et poivrer. Couvrir et laisser mijoter 30 minutes en remuant de temps en temps, jusqu'à ce que la préparation ait épaissi. Retirer du feu et laisser refroidir.

2 Sur un plan fariné, pétrir rapidement la pâte à pizza, diviser en deux et abaisser chaque portion en un rond de 7 à 8 mm d'épaisseur. Transférer sur une plaque huilée et relever les bords avec les doigts de façon à donner de l'épaisseur à la croûte.

3 Répartir la sauce sur les ronds en laissant une marge. Couvrir un quart de chaque rond avec les crevettes, un autre avec les cœurs d'artichauts, un troisième avec les rondelles de tomate alternées avec la mozzarella et le dernier avec les champignons. Parsemer de câpres et d'olives, saler, poivrer et arroser d'huile d'olive.

4 Cuire au four préchauffé 20 à 25 minutes à 220 °C (th. 7-8), jusqu'à ce que la pâte soit croustillante et que le fromage ait fondu. Servir immédiatement.

agneau rôti au romarin & au marsala

ingrédients

POUR 6 PERSONNES

1,8 kg d'épaule d'agneau
2 gousses d'ail, finement émincées
2 cuil. à soupe de feuilles de romarin hachées
8 cuil. à soupe d'huile d'olive
sel et poivre
900 g de pommes de terre, coupées en dés de 2,5 cm
6 feuilles de sauge fraîche, hachées
150 ml de marsala

méthode

1 À l'aide d'un petit couteau tranchant, pratiquer de petites incisions sur l'ensemble de l'épaule d'agneau. Insérer les rondelles d'ail et la moitié du romarin dans les incisions.

2 Mettre l'agneau dans un plat à rôti, enduire de la moitié de l'huile et cuire au four préchauffé 15 minutes à 220 °C (th. 6-7). Réduire la température du four à 180 °C (th. 6). Retirer l'agneau du four, saler et poivrer. Retourner l'agneau et cuire au four 1 heure.

3 Répartir les dés de pommes de terre dans un autre plat à rôtir, incorporer l'huile d'olive restante et ajouter le romarin restant et la sauge. Cuire 40 minutes au four avec l'agneau.

4 Retirer l'agneau du four, arroser de marsala et cuire encore 15 minutes avec les pommes de terre.

5 Transférer l'agneau sur une planche à découper et couvrir de papier d'aluminium. Chauffer le plat à feu vif, porter le jus de cuisson à ébullition et laisser bouillir jusqu'à obtention d'une sauce épaisse et sirupeuse. Filtrer le jus de cuisson. Couper l'épaule d'agneau en tranches et servir accompagné de pommes de terre et nappé de sauce.

souris d'agneau aux oignons rôtis

ingrédients

POUR 4 PERSONNES

4 souris d'agneau de 350 g chacune
6 gousses d'ail
2 cuil. à soupe d'huile d'olive vierge extra
1 cuil. à soupe de romarin frais très finement haché
sel et poivre
4 oignons rouges
350 g de carottes, coupées en julienne
4 cuil. à soupe d'eau

méthode

1 Dégraisser l'agneau et pratiquer 6 incisions sur chaque morceau. Couper chaque gousse d'ail en 4 lamelles et répartir dans les incisions.

2 Mettre la viande dans un plat à rôti en une seule couche, arroser d'huile d'olive et parsemer de romarin. Poivrer et cuire au four préchauffé 45 minutes à 180 °C (th. 6).

3 Envelopper chaque oignon dans du papier d'aluminium. Retirer la viande du four et saler. Remettre au four, disposer les oignons à côté du plat et cuire encore 1 heure, jusqu'à ce que l'agneau soit tendre.

4 Cuire les carottes 1 minute à l'eau bouillante, rafraîchir à l'eau courante et égoutter.

5 Transférer la viande dans un plat de service. Dégraisser le jus de cuisson, mettre sur le feu et chauffer à feu moyen. Ajouter les carottes et cuire 2 minutes. Verser l'eau, porter à ébullition et laisser mijoter sans cesser de remuer en raclant le fond du plat de façon à détacher les sucs.

6 Transférer les carottes et la sauce dans le plat de service. Sortir les oignons du four, retirer le papier d'aluminium. Couper 1,25 cm au sommet de chaque oignon, ajouter dans le plat et servir immédiatement.

agneau épicé aux olives noires

ingrédients

POUR 6 PERSONNES

6 cuil. à soupe d'huile d'olive
1 oignon, haché
2 gousses d'ail, finement hachées
1,25 kg d'épaule d'agneau désossée, coupée en dés de 2,5 cm
2 piments rouges séchés
175 ml de vin blanc sec
175 g d'olives noires, dénoyautées
2 cuil. à soupe de persil plat frais haché, un peu plus pour garnir
sel

méthode

1 Dans une cocotte, chauffer l'huile d'olive, ajouter l'oignon et l'ail, et cuire 5 minutes à feu doux, jusqu'à ce qu'ils soient tendres.

2 Ajouter la viande et faire revenir 5 minutes, jusqu'à ce qu'elle soit uniformément dorée. Émietter les piments dans la cocotte, mouiller avec le vin et cuire encore 5 minutes. Ajouter les olives et le persil, et saler.

3 Mettre la cocotte au four préchauffé et cuire 1 h 30 à 180 °C (th. 6), jusqu'à ce que la viande soit tendre. Garnir de persil et servir immédiatement.

risotto épicé à l'agneau

ingrédients

POUR 4 PERSONNES

4 cuil. à soupe de farine, assaisonnée
8 côtelettes d'agneau
4 cuil. à soupe d'huile d'olive
1 poivron vert, épépiné et finement haché
1 ou 2 piments verts, épépinés et finement hachés
2 petits oignons, l'un émincé et l'autre finement haché
2 gousses d'ail, finement émincées
2 cuil. à soupe de basilic ciselé
125 ml de vin rouge
4 cuil. à soupe de vinaigre de vin rouge
8 tomates cerises
125 ml d'eau
1,2 l de bouillon de volaille, frémissant
40 g de beurre
280 g de riz pour risotto
85 g de parmesan, fraîchement râpé
sel et poivre

méthode

1 Enrober la viande de farine. Dans une cocotte, chauffer 3 cuillerées à soupe d'huile à feu vif, ajouter la viande et cuire jusqu'à ce qu'elle soit dorée. Retirer de la cocotte et réserver.

2 Mettre le poivron, le piment, l'oignon émincé, l'ail et le basilic dans la cocotte, et faire revenir 3 minutes, jusqu'à ce qu'ils soient dorés. Mouiller avec le vin et le vinaigre, porter à ébullition et cuire 3 à 4 minutes, jusqu'à obtention de 2 cuillerées à soupe de jus de cuisson.

3 Ajouter les tomates, mouiller avec l'eau et porter à ébullition. Remettre la viande, couvrir et réduire le feu. Cuire 30 minutes, jusqu'à ce que la viande soit tendre.

4 Dans une casserole, chauffer l'huile restante et 25 g de beurre à feu moyen, ajouter l'oignon haché et cuire 5 minutes, jusqu'à ce qu'il soit tendre, sans laisser brunir. Réduire le feu, ajouter le riz et cuire 2 à 3 minutes à feu moyen sans cesser de remuer, jusqu'à ce qu'il soit translucide. Mouiller avec une louche de bouillon, cuire sans cesser de remuer jusqu'à absorption et répéter l'opération avec le bouillon restant. Le risotto doit être toujours frémissant. L'opération prend 20 minutes. Saler et poivrer.

5 Retirer du feu, incorporer le beurre restant et le parmesan de sorte qu'ils fondent et répartir dans des assiettes. Garnir de poivron et de tomate, ajouter la viande et servir.

saltim bocca

ingrédients

POUR 4 PERSONNES

4 escalopes de veau
2 cuil. à soupe de jus de citron
sel et poivre
1 cuil. à soupe de feuilles de sauge fraîche hachées
4 tranches de prosciutto
55 g de beurre
3 cuil. à soupe de vin blanc sec

méthode

1 Mettre le veau entre 2 morceaux de film alimentaire et attendrir à l'aide d'un maillet à viande et d'un rouleau à pâtisserie. Transférer sur un plat de service, arroser de jus de citron et laisser mariner 30 minutes, en arrosant de jus régulièrement.

2 Sécher les escalopes avec du papier absorbant. Saler, poivrer et enrober de sauge. Couvrir d'une tranche de prosciutto et fixer à l'aide d'une pique à cocktail.

3 Dans une poêle, faire fondre le beurre, ajouter la sauge restante et cuire 1 minute à feu doux sans cesser de remuer. Ajouter les escalopes et cuire 3 à 4 minutes sur chaque face, jusqu'à ce qu'elles soient dorées. Mouiller avec le vin et cuire encore 2 minutes.

4 Transférer la viande dans un plat de service chaud, arroser de jus de cuisson et retirer les piques à cocktail. Servir immédiatement.

veau à la milanaise

ingrédients

POUR 4 PERSONNES

1 cuil. à soupe d'huile d'olive
55 g de beurre
2 oignons, hachés
1 poireau, haché
3 cuil. à soupe de farine
sel et poivre
4 rouelles épaisses de jarret de veau
300 ml de vin blanc
300 ml de bouillon de volaille

gremolata

2 cuil. à soupe de persil frais haché
1 gousse d'ail, finement hachée
zeste râpé d'un citron

méthode

1 Dans une poêle, chauffer le beurre et l'huile, ajouter les oignons et le poireau, et cuire 5 minutes à feu doux, jusqu'à ce qu'ils soient tendres.

2 Étaler la farine sur une assiette, saler et poivrer. Passer le veau dans la farine et secouer de façon à éliminer l'excédent. Ajouter le veau dans la poêle, augmenter le feu et cuire jusqu'à ce qu'il soit doré sur les deux faces.

3 Mouiller progressivement avec le vin et le bouillon, porter à ébullition sans cesser de remuer et réduire le feu immédiatement. Couvrir et laisser mijoter 1 h 15, jusqu'à ce que le veau soit très tendre.

4 Pour la gremolata, mélanger le persil, l'ail et le zeste de citron.

5 Transférer la viande dans un plat de service chaud. Porter à ébullition le jus de cuisson et cuire sans cesser de remuer jusqu'à ce qu'il ait épaissi et réduit. Napper la viande, parsemer de gremolata et servir immédiatement.

poulet toscan

ingrédients

POUR 4 PERSONNES

2 cuil. à soupe de farine
sel et poivre
4 découpes de poulet, sans la peau
3 cuil. à soupe d'huile d'olive
1 oignon rouge, haché
2 gousses d'ail, finement hachées
1 poivron rouge, épépiné et haché
1 pincée de filaments de safran
150 ml de bouillon de volaille ou d'un mélange de bouillon de volaille et de vin blanc
400 g de tomates concassées en boîte
4 tomates séchées au soleil à l'huile, égouttées et hachées
225 g de champignons portobello, émincés
115 g d'olives noires, dénoyautées
4 cuil. à soupe de jus de citron
feuilles de basilic frais, en garniture

méthode

1 Étaler la farine dans une assiette, saler et poivrer. Passer le poulet dans la farine et secouer de façon à éliminer l'excédent. Dans une cocotte, chauffer l'huile d'olive, ajouter le poulet et cuire 5 à 7 minutes à feu moyen en remuant souvent, jusqu'à ce qu'il soit uniformément doré. Retirer de la cocotte et réserver.

2 Ajouter l'oignon, l'ail et le poivron rouge, réduire le feu et cuire 5 minutes en remuant de temps en temps, jusqu'à ce qu'ils soient tendres. Faire infuser le safran dans le bouillon.

3 Incorporer les tomates avec leur jus, les tomates séchées, les champignons et les olives dans la cocotte et cuire 3 minutes en remuant de temps en temps. Mouiller avec le bouillon safrané et le jus de citron, porter à ébullition et remettre le poulet dans la cocotte.

4 Couvrir et cuire au four préchauffé 1 heure à 180 °C (th. 6), jusqu'à ce que le poulet soit tendre. Garnir de feuilles de basilic et servir immédiatement.

pappardelle au poulet & aux cèpes

ingrédients

POUR 4 PERSONNES

40 g de cèpes déshydratés
175 ml d'eau chaude
800 g de tomates concassées en boîte
1 piment rouge frais, épépiné et finement haché
3 cuil. à soupe d'huile d'olive
350 g de blancs de poulet, désossés et sans la peau, coupés en lanières
2 gousses d'ail, finement hachées
350 g de pappardelle
sel et poivre
2 cuil. à soupe de persil plat frais haché, en garniture

méthode

1 Mettre les cèpes dans un bol, verser l'eau chaude et laisser tremper 30 minutes. Dans une casserole, mettre les tomates avec leur jus et le piment, porter à ébullition et réduire le feu. Laisser mijoter 30 minutes en remuant de temps en temps, jusqu'à ce que le mélange ait réduit.

2 Retirer les cèpes du bol à l'aide d'une écumoire. Filtrer le liquide de trempage au chinois, verser dans la casserole et laisser mijoter le tout 15 minutes. Dans une poêle, chauffer 2 cuillerées à soupe d'huile d'olive, ajouter le poulet et cuire en remuant souvent jusqu'à ce qu'il soit tendre et uniformément doré. Incorporer les cèpes et l'ail, et cuire encore 5 minutes.

3 Porter une casserole d'eau salée à ébullition, ajouter les pâtes et cuire 8 à 10 minutes, jusqu'à ce qu'elles soient *al dente*. Égoutter, transférer dans un plat de service chaud et arroser de l'huile restante. Incorporer le contenu de la poêle dans la casserole, bien mélanger et ajouter le tout aux pâtes. Garnir de persil et servir immédiatement.

raviolis au poulet

ingrédients

POUR 4 PERSONNES

115 g de blanc de poulet cuit, désossé et sans la peau, finement haché
55 g d'épinards cuits
55 g de prosciutto, grossièrement haché
1 échalote, grossièrement hachée
6 cuil. à soupe de fromage de type romano, râpé
1 pincée de noix muscade
2 œufs, légèrement battus
sel et poivre
farine, pour saupoudrer
300 ml de crème fraîche épaisse
2 gousses d'ail, finement hachées
115 g de champignons de Paris, émincés
2 cuil. à soupe de basilic frais ciselé
basilic frais, en garniture

pâte à raviolis

200 g de farine, un peu plus pour saupoudrer
1 pincée de sel
2 œufs, légèrement battus
1 cuil. à soupe d'huile d'olive

méthode

1 Pour la pâte, mettre la farine, le sel, les œufs et l'huile dans un robot de cuisine, mixer jusqu'à ce que les ingrédients s'agglomèrent et pétrir sur un plan fariné jusqu'à obtention d'une pâte souple. Couvrir et laisser reposer 30 minutes.

2 Mettre le poulet, les épinards, le prosciutto et l'échalote dans un robot de cuisine et mixer jusqu'à ce que le tout soit finement haché et mélangé. Transférer dans une terrine, ajouter 2 cuillerées à soupe de fromage, 1 œuf et la noix muscade, saler et poivrer.

3 Diviser la pâte en deux, abaisser une moitié sur un plan fariné et couvrir. Abaisser l'autre moitié, y déposer de petites quantités de farce en les espaçant de 4 cm et enduire les marges avec un peu de l'œuf battu restant. Superposer la seconde abaisse, bien presser entre chaque portion de farce et couper en carrés. Déposer sur un torchon fariné et laisser reposer 1 heure.

4 Porter une casserole d'eau salée à ébullition, ajouter les raviolis et cuire 5 minutes. Égoutter sur du papier absorbant et transférer dans un plat de service.

5 Dans une casserole, mettre la crème fraîche et l'ail, porter à ébullition et cuire 1 minute. Ajouter les champignons et 2 cuillerées à soupe de fromage, saler, poivrer et cuire 3 minutes. Incorporer le basilic, ajouter le tout aux raviolis et servir, garni du fromage restant et de basilic.

tortellinis au poulet

ingrédients

POUR 4 PERSONNES

115 g de blanc de poulet, désossé et sans la peau
55 g de prosciutto
40 g d'épinards cuits, bien essorés
1 cuil. à soupe d'oignon finement haché
2 cuil. à soupe de parmesan fraîchement râpé
1 pincée de poivre de la Jamaïque moulu
1 œuf, battu
sel et poivre
double portion de pâte (*voir* page 98)
2 cuil. à soupe de persil plat frais haché

sauce

300 ml de crème fraîche liquide
2 gousses d'ail, hachées
115 g de champignons de Paris, émincés
sel et poivre
4 cuil. à soupe de parmesan fraîchement râpé

méthode

1 Porter une casserole d'eau salée à ébullition, ajouter le poulet et pocher 10 minutes. Laisser tiédir, mettre dans un robot de cuisine avec le prosciutto, les épinards et l'oignon, et mixer jusqu'à ce que le tout soit finement haché. Incorporer le parmesan, le poivre de la Jamaïque et l'œuf, saler et poivrer.

2 Abaisser finement la pâte, couper des ronds de 4,5 cm de diamètre et garnir de 1/2 cuillerée à café de garniture. Plier les ronds en deux, souder et enrouler autour de l'index en repliant la base de façon à obtenir des tortellinis. Abaisser les chutes et répéter l'opération avec les ingrédients restants.

3 Porter une casserole d'eau à ébullition, ajouter les tortellinis et cuire 5 minutes. Égoutter et transférer dans un plat de service chaud.

4 Pour la sauce, mettre la crème fraîche et l'ail dans dans une petite casserole et cuire 3 minutes. Ajouter les champignons et la moitié du fromage, saler, poivrer et laisser mijoter 2 à 3 minutes. Napper les tortellinis de sauce, garnir de persil et du parmesan restant, et servir immédiatement.

risotto au poulet, aux noix de cajou & aux champignons

ingrédients

POUR 4 PERSONNES

1,3 l de bouillon de volaille
55 g de beurre
1 oignon, haché
250 g de blancs de poulet, coupés en dés
350 g de riz pour risotto
1 cuil. à café de curcuma en poudre
150 ml de vin blanc
75 g de champignons de Paris, émincés
50 g de noix de cajou
sel et poivre

garniture

roquette
copeaux de parmesan
feuilles de basilic frais

méthode

1 Dans une casserole, chauffer le beurre à feu moyen, ajouter l'oignon et cuire 5 minutes en remuant de temps en temps, jusqu'à ce qu'il soit tendre. Ajouter le poulet et cuire encore 5 minutes en remuant de temps en temps.

2 Réduire le feu, ajouter le riz et mélanger de façon à enrober les grains de beurre. Cuire 2 à 3 minutes à feu moyen sans cesser de remuer, jusqu'à ce que les grains de riz soient translucides.

3 Ajouter le curcuma, mouiller avec le vin et cuire 1 minute sans cesser de remuer, jusqu'à ce que la préparation ait réduit.

4 Mouiller avec une louche de bouillon, cuire sans cesser de remuer jusqu'à absorption et répéter l'opération avec le bouillon restant. Le risotto doit être toujours frémissant. L'opération prend environ 20 minutes.

5 Incorporer les champignons et les noix de cajou 3 minutes avant la fin de la cuisson. Saler et poivrer à volonté.

6 Disposer quelques feuilles de roquette dans les assiettes, retirer le risotto du feu et répartir sur la roquette. Parsemer de copeaux de parmesan et de feuilles de basilic, et servir immédiatement.

risotto au poulet grillé

ingrédients

POUR 4 PERSONNES

4 blancs de poulet, avec la peau, d'environ 115 g chacun
zeste râpé et jus d'un citron
5 cuil. à soupe d'huile d'olive
1 gousse d'ail, hachée
8 brins de thym frais, finement hachés
1 litre de bouillon de volaille, frémissant
40 g de beurre
1 petit oignon, finement haché
280 g de riz pour risotto
150 ml de vin blanc sec
85 g de parmesan, fraîchement râpé
sel et poivre

garniture

quartiers de citrons
brins de thym frais

méthode

1 Saler et poivrer le poulet. Dans une terrine non métallique, mélanger le zeste de citron, le jus, 4 cuillerées à soupe d'huile, l'ail et le thym, ajouter le poulet et couvrir de film alimentaire. Laisser mariner 4 à 6 heures au réfrigérateur.

2 Préchauffer une poêle à fond rainuré à feu vif, ajouter la viande côté peau vers le bas et cuire 10 minutes, jusqu'à ce que la peau soit croustillante et dorée. Retourner et cuire jusqu'à ce que la viande soit dorée. Réduire le feu et cuire encore 10 à 15 minutes, jusqu'à ce que le poulet rende un jus clair.

3 Dans une casserole, chauffer l'huile restante et 25 g de beurre à feu moyen, ajouter l'oignon et cuire 5 minutes, jusqu'à ce qu'il soit tendre. Réduire le feu, ajouter le riz et cuire 2 à 3 minutes à feu moyen sans cesser de remuer, jusqu'à ce qu'il soit translucide. Mouiller avec le vin et cuire 1 minute sans cesser de remuer, jusqu'à ce que la préparation ait réduit. Mouiller avec une louche de bouillon, cuire sans cesser de remuer jusqu'à absorption et répéter l'opération avec le bouillon restant. Le risotto doit être toujours frémissant. L'opération prend 20 minutes. Saler et poivrer.

4 Laisser tiédir le poulet et couper en lamelles. Retirer le risotto du feu, ajouter le beurre et le parmesan de sorte qu'ils fondent, répartir dans des assiettes et ajouter le poulet. Garnir de citron et de thym, et servir immédiatement.

poissons & fruits de mer

L'Italie est pratiquement cernée par la mer. Avec ses lacs et ses rivières, il n'est pas surprenant que sa gastronomie tourne souvent autour d'un poisson d'excellente qualité. Des générations de cuisiniers ont affiné à la perfection l'art de la préparation du poisson. Malheureusement, ce qui a longtemps été un aliment bon marché, voire gratuit, est devenu un produit de luxe en raison de la pollution marine et d'une pêche intensive. Les réserves de poissons se sont épuisées. Toutefois, certaines espèces de poissons de mer, encore disponibles sous leur forme fraîche en Italie, ne se trouvent plus que sous forme de conserves, en d'autres lieux. C'est le cas des anchois. La version salée ou en boîte (à rincer soigneusement avant consommation) relève les plats de pâtes, les pizzas et les salades. Le thon est un autre produit local de choix. Ce gros poisson gras donne de fabuleux steaks frais, et s'il est conservé dans l'huile ou au naturel, il est très facile à utiliser en toutes circonstances.

Parmi les autres ingrédients, citons l'espadon, le rouget-barbet, la daurade, le calmar, les sardines et les crustacés, ainsi que les poissons d'eau douce comme la truite. Si vous êtes un aficionado des fruits de mer, essayez de préparer à l'italienne ceux que vous aimez, ce qui ne fera que renforcer leurs qualités gustatives et nutritionnelles.

vivaneau aux câpres & aux olives

ingrédients

POUR 4 PERSONNES

700 g de filets de vivaneau (environ 12 filets)
3 cuil. à soupe de marjolaine fraîche hachée
sel et poivre
zeste d'une orange, coupée en fines lanières
225 g de mesclun, coupé en gros morceaux
175 ml d'huile d'olive vierge extra
1 cuil. à soupe de vinaigre balsamique
1 cuil. à soupe de vinaigre de vin blanc
1 cuil. à café de moutarde de Dijon
3 cuil. à soupe d'huile d'olive
1 bulbe de fenouil, coupé en julienne

sauce

30 g de beurre
40 g d'olives noires, dénoyautées et émincées
1 cuil. à soupe de câpres, égouttées et émincées

méthode

1 Mettre les filets sur une assiette, parsemer de marjolaine, saler et poivrer. Réserver.

2 Blanchir le zeste d'orange 2 minutes à l'eau bouillante, rafraîchir à l'eau courante et égoutter.

3 Mettre le mesclun dans une terrine. Mélanger l'huile d'olive vierge extra, les vinaigres et la moutarde, saler, poivrer et bien battre le tout. Arroser le mesclun, bien mélanger et répartir sur un plat de service.

4 Dans unc poêle, chauffer l'huile d'olive, ajouter le fenouil et cuire 1 minute sans cesser de remuer. Retirer de la poêle à l'aide d'une écumoire et réserver au chaud. Mettre les filets de poisson dans la poêle, côté peau vers le bas, et cuire 2 minutes. Retourner délicatement et cuire encore 1 à 2 minutes. Retirer de la poêle et égoutter sur du papier absorbant. Réserver au chaud.

5 Pour la sauce, faire fondre le beurre dans une petite casserole, ajouter les olives et les câpres, et cuire 1 minute sans cesser de remuer.

6 Répartir les filets de poisson sur le mesclun, garnir de zeste d'orange et de fenouil, et napper de sauce. Servir immédiatement.

dorade rôtie au fenouil

ingrédients

POUR 4 PERSONNES

250 g de chapelure blanche
2 cuil. à soupe de lait
1 bulbe de fenouil, émincé, frondes réservées pour la garniture
1 cuil. à soupe de jus de citron
2 cuil. à soupe de sambuca (liqueur italienne)
1 cuil. à soupe de thym frais haché
1 feuille de laurier, froissée
1 dorade entière de 1,5 kg, parée et écaillée, arêtes retirées
sel et poivre
3 cuil. à soupe d'huile d'olive, un peu plus pour graisser
1 oignon rouge, haché
300 ml de vin blanc sec

méthode

1 Dans une terrine, mettre la chapelure, ajouter le lait et laisser tremper 5 minutes. Dans une autre terrine, mettre le fenouil, le jus de citron, la sambuca, le thym et le laurier. Égoutter la chapelure en pressant bien de façon à exprimer l'excédent de liquide et ajouter au mélange précédent.

2 Rincer le poisson à l'eau courante, sécher avec du papier absorbant, saler et poivrer. Farcir du mélange à base de fenouil et de chapelure, et maintenir le tout à l'aide de ficelle de cuisine.

3 Huiler un plat allant au four, répartir l'oignon dans le fond et ajouter la dorade. Verser le vin dans le plat – le poisson doit être immergé au tiers. Arroser le poisson d'huile d'olive et cuire au four préchauffé 25 à 30 minutes à 240 °C (th. 8) en arrosant régulièrement de jus de cuisson. Couvrir de papier d'aluminium en cours de cuisson si le poisson brunit trop vite.

4 Retirer le poisson du plat, ôter la ficelle et transférer dans un plat de service chaud. Garnir de frondes de fenouil et servir immédiatement.

espadon aux olives & aux câpres

ingrédients

POUR 4 PERSONNES

2 cuil. à soupe de farine, assaisonnée
225 g de steak d'espadon
100 ml d'huile d'olive
2 gousses d'ail, coupées en deux
1 oignon, haché
4 filets d'anchois, égouttés et hachés
4 tomates, mondées, épépinées et concassées
12 olives vertes, dénoyautées et émincées
1 cuil. à soupe de câpres, rincées
feuilles de romarin frais, en garniture

méthode

1 Enrober le poisson de farine et secouer de façon à éliminer l'excédent.

2 Dans une poêle, chauffer l'huile d'olive, ajouter l'ail et cuire 2 à 3 minutes, jusqu'à ce qu'il soit doré. Veiller à ne pas laisser brunir. Retirer l'ail et le jeter.

3 Ajouter le poisson dans la poêle et cuire 4 minutes sur chaque face à feu moyen, jusqu'à ce qu'il soit doré et bien cuit. Retirer de la poêle et réserver.

4 Ajouter l'oignon et les anchois dans la poêle, écraser et cuire en écrasant les anchois à l'aide d'une cuillère en bois jusqu'à ce que les oignons soient dorés. Ajouter les tomates et cuire 20 minutes à feu très doux en remuant de temps en temps, jusqu'à ce que la préparation ait épaissi.

5 Incorporer les olives et les câpres, rectifier l'assaisonnement et remettre le poisson dans la poêle. Réchauffer à feu doux et servir garni de romarin.

truites et leur sauce au vin rouge & au citron

ingrédients

POUR 4 PERSONNES

4 truites, parées, têtes retirées
225 ml de vinaigre de vin rouge
300 ml de vin rouge
150 ml d'eau
2 feuilles de laurier
4 brins de thym frais
4 brins de persil plat frais, un peu plus en garniture
zeste paré d'un citron
3 échalotes, finement émincées
1 carotte, finement émincée
12 grains de poivre noir
8 clous de girofle
sel
85 g de beurre, coupé en dés
1 cuil. à soupe de persil plat frais haché
1 cuil. à soupe d'aneth frais haché
sel et poivre

méthode

1 Rincer le poisson à l'eau courante, sécher avec du papier absorbant et mettre en une seule couche dans un plat non métallique. Porter le vinaigre à ébullition, verser sur les poissons et laisser mariner 30 minutes.

2 Dans une casserole, verser le vin et l'eau, ajouter le laurier, les brins de thym et de persil, le zeste de citron, les échalotes, la carotte, les grains de poivre et les clous de girofle, et saler. Porter à ébullition à feu doux.

3 Égoutter les truites et jeter le vinaigre. Dans une poêle, répartir les poissons en une seule couche, arroser de la préparation à base de vin et couvrir. Laisser mijoter 15 minutes à feu doux, jusqu'à ce qu'ils soient tendres et bien cuits. Il n'est pas nécessaire de les retourner.

4 À l'aide d'une spatule, transférer les truites sur des assiettes chaudes. Porter le jus de cuisson à ébullition et cuire jusqu'à ce qu'il ait réduit aux trois quarts. Incorporer le beurre progressivement sans cesser de battre, ajouter le persil et l'aneth hachés, et rectifier l'assaisonnement. Napper les truites de sauce, garnir de brins de persil et servir immédiatement.

sardines grillées & leur sauce au citron

ingrédients

POUR 4 PERSONNES

1 gros citron
85 g de beurre
sel et poivre
20 sardines fraîches, parées, têtes retirées
1 cuil. à soupe de feuilles de fenouil fraîches

méthode

1 Peler le citron, veiller à bien retirer la peau blanche et prélever les quartiers en ôtant les membranes et les pépins. Hacher finement la chair et réserver.

2 Dans une poêle, faire fondre 30 g de beurre, saler, poivrer et enduire les sardines. Passer les sardines au gril préchauffé ou cuire au barbecue 5 à 6 minutes en retournant une fois, jusqu'à ce qu'elles soient cuites.

3 Faire fondre le beurre restant, retirer la poêle du feu et incorporer le citron haché et le fenouil.

4 Transférer les sardines sur un plat de service chaud, napper de sauce et servir.

linguine aux anchois, aux olives & aux câpres

ingrédients

POUR 4 PERSONNES

450 g de tomates
3 cuil. à soupe d'huile d'olive
2 gousses d'ail, finement hachées
10 filets d'anchois, égouttés et hachés
140 g d'olives noires, dénoyautées et hachées
1 cuil. à soupe de câpres, rincées
1 pincée de poivre de Cayenne
400 g de linguine
sel
2 cuil. à soupe de persil plat frais haché, en garniture
pain frais, en accompagnement

méthode

1 Inciser les tomates en croix, mettre dans une terrine résistant à la chaleur et couvrir d'eau bouillante. Laisser reposer 35 à 45 secondes, égoutter et plonger dans de l'eau froide. Monder, épépiner et concasser.

2 Dans une casserole, chauffer l'huile d'olive, ajouter l'ail et cuire 2 minutes à feu doux en remuant souvent. Ajouter les anchois et réduire en purée à l'aide d'une fourchette. Ajouter les olives, les câpres, les tomates et le poivre de Cayenne, couvrir et laisser mijoter 25 minutes.

3 Porter une casserole d'eau salée à ébullition, ajouter les pâtes et cuire 8 à 10 minutes, jusqu'à ce qu'elles soient *al dente*. Égoutter et transférer dans un plat de service chaud.

4 Ajouter la sauce dans le plat, bien mélanger à l'aide de 2 fourchettes et garnir de persil. Servir immédiatement, accompagné de pain frais.

filets de sole & leur sauce tomate

ingrédients

POUR 4 PERSONNES

4 cuil. à soupe d'huile d'olive
900 g de tomates, mondées, épépinées et concassées
2 cuil. à soupe de concentré de tomate séchée au soleil
3 gousses d'ail, finement hachées
1 cuil. à soupe d'origan frais haché
sel et poivre
85 g de farine, assaisonnée
4 soles, les filets levés
85 g de beurre
115 g d'olives noires, dénoyautées

méthode

1 Dans une casserole, chauffer l'huile d'olive, ajouter les tomates, le concentré de tomate, l'ail et l'origan, saler et poivrer. Bien mélanger, couvrir et laisser mijoter 30 minutes en remuant de temps en temps, jusqu'à ce que la préparation ait épaissi.

2 Enrober le poisson de farine assaisonnée et secouer de façon à éliminer l'excédent.

3 Dans une poêle, faire fondre la moitié du beurre, ajouter autant de filets que possible en une seule couche et cuire 2 minutes sur chaque face à feu moyen. À l'aide d'une spatule, transférer dans un plat allant au four et réserver au chaud. Répéter l'opération avec les filets restants en ajoutant le beurre restant si nécessaire.

4 Incorporer les olives à la sauce tomate, napper le poisson de la préparation obtenue et cuire au four préchauffé 20 minutes à 180 °C (th. 6). Servir immédiatement, directement dans le plat.

risotto à la sole & à la tomate

ingrédients

POUR 4 PERSONNES

1,2 l de bouillon de légumes ou de volaille, frémissant
3 cuil. à soupe d'huile d'olive
40 g de beurre
1 petit oignon, finement haché
280 g de riz pour risotto
450 g de tomates, mondées, épépinées et coupées en lanières
6 tomates séchées au soleil à l'huile d'olive, égouttées et émincées
3 cuil. à soupe de concentré de tomate
50 ml de vin rouge
450 g de filets de sole, sans la peau
115 g de parmesan, fraîchement râpé
sel et poivre
2 cuil. à soupe de coriandre fraîche hachée, en garniture

méthode

1 Dans une casserole, chauffer 1 cuillerée à soupe d'huile et 25 g de beurre à feu moyen jusqu'à ce que le beurre ait fondu. Ajouter l'oignon et cuire 5 minutes en remuant de temps en temps, jusqu'à ce qu'il soit tendre et doré.

2 Réduire le feu, ajouter le riz et cuire 2 à 3 minutes à feu moyen sans cesser de remuer, jusqu'à ce qu'il soit translucide. Mouiller avec une louche de bouillon, cuire sans cesser de remuer jusqu'à absorption et répéter l'opération avec le bouillon restant. Le risotto doit être toujours frémissant. L'opération prend environ 20 minutes. Saler et poivrer à volonté.

3 Dans une poêle, chauffer l'huile restante, ajouter les tomates fraîches et les tomates séchées, et cuire 10 à 15 minutes à feu moyen, jusqu'à ce qu'elles soient tendres. Incorporer le concentré de tomate, mouiller avec le vin et porter à ébullition. Réduire le feu et conserver à frémissement.

4 Couper le poisson en lanières, ajouter dans la poêle et cuire 5 minutes, jusqu'à ce qu'il se délite. Augmenter le feu si le liquide de cuisson n'a pas été entièrement absorbé. Retirer le risotto du feu et incorporer le beurre restant et le parmesan de sorte qu'ils fondent. Répartir dans des assiettes chaudes, garnir de poisson à la tomate et parsemer de coriandre fraîche.

thon à la sicilienne

ingrédients

POUR 4 PERSONNES

marinade

125 ml d'huile d'olive vierge extra
4 gousses d'ail, finement hachées
4 piments rouges frais, épépinés et finement hachés
jus et zeste finement râpé de 2 citrons
4 cuil. à soupe de persil plat frais finement haché
sel et poivre

4 steaks de thon de 140 g chacun
2 bulbes de fenouil, émincés finement dans la hauteur
2 oignons rouges, émincés
2 cuil. à soupe d'huile d'olive vierge extra
roquette et pain frais, en accompagnement

méthode

1 Mettre les ingrédients de la marinade dans un bol et bien battre le tout. Mettre le thon dans une terrine, arroser de 4 cuillerées à soupe de marinade et couvrir. Laisser mariner 30 minutes et réserver la marinade restante.

2 Chauffer une poêle à fond rainuré. Mélanger le fenouil, les oignons et l'huile, ajouter dans la poêle et cuire 10 minutes en retournant une fois, jusqu'à ce qu'ils commencent à se colorer. Transférer dans 4 assiettes chaudes, arroser avec la marinade restante et réserver au chaud.

3 Mettre le thon dans la poêle et cuire 4 à 5 minutes en retournant une fois, jusqu'à ce qu'il soit ferme au toucher et tendre à l'intérieur. Transférer sur les légumes et servir accompagné de roquette et de pain frais.

haricots au thon

ingrédients

POUR 4 PERSONNES

800 g de haricots blancs, mis à tremper une nuit
6 cuil. à soupe d'huile d'olive vierge extra
200 g de steak de thon
2 gousses d'ail, légèrement écrasées
1 brin de sauge fraîche
2 cuil. à soupe d'eau
sel et poivre
4 feuilles de sauge fraîche hachées, en garniture

méthode

1 Égoutter les haricots, transférer dans une casserole et couvrir d'eau. Porter à ébullition, réduire le feu et laisser mijoter 1 heure à 1 h 30, jusqu'à ce qu'ils soient tendres. Égoutter.

2 Dans une poêle, chauffer 1 cuillerée à soupe d'huile d'olive, ajouter le steak de thon et cuire 3 à 4 minutes sur chaque face à feu moyen. Retirer de la poêle, laisser tiédir et réserver.

3 Dans la poêle, chauffer 3 cuillerées à soupe d'huile d'olive, ajouter l'ail et le brin de sauge, et faire revenir 1 minutes à feu doux jusqu'à ce que la sauge soit grésillante. Jeter l'ail.

4 Ajouter les haricots et cuire 1 minute. Mouiller avec l'eau, saler, poivrer et cuire jusqu'à ce que l'eau ait été absorbée. Jeter le brin de sauge, transférer la préparation obtenue dans une terrine et laisser tiédir.

5 Émietter le thon, retirer les arêtes et ajouter aux haricots. Arroser de l'huile d'olive restante, parsemer de sauge hachée et servir tiède ou froid.

omelette aux fruits de mer

ingrédients

POUR 3 PERSONNES

30 g de beurre
1 cuil. à soupe d'huile d'olive
1 oignon, très finement haché
175 g de courgettes, coupées en deux dans la longueur et émincées
1 branche de céleri, très finement hachée
85 g de champignons de Paris, émincés
55 g de haricots verts, coupés en tronçons de 2 cm
4 œufs
85 g de mascarpone
1 cuil. à soupe de thym frais haché
1 cuil. à soupe de basilic frais ciselé
sel et poivre
200 g de thon en boîte, égoutté et émietté
115 g de crevettes cuites décortiquées

méthode

1 Dans une poêle adaptée à la cuisson au four, chauffer l'huile d'olive, ajouter l'oignon et cuire 5 minutes à feu doux en remuant de temps en temps, jusqu'à ce qu'il soit tendre.

2 Ajouter les courgettes, le céleri, les haricots et les champignons, et cuire 8 à 10 minutes en remuant de temps en temps, jusqu'à ce que le tout commence à dorer.

3 Battre les œufs, incorporer le mascarpone, le thym, le basilic, saler et poivrer.

4 Ajouter le thon dans la poêle, remuer à l'aide d'une cuillère en bois et incorporer les crevettes.

5 Verser le mélange à base d'œuf dans la poêle et cuire 5 minutes, jusqu'à ce que les œufs commencent à prendre.

6 Passer la poêle au gril préchauffé et cuire jusqu'à ce que l'omelette ait totalement pris et commence à dorer. Couper en parts et servir immédiatement.

gnocchis au thon, à l'ail, au citron, aux câpres & aux olives

ingrédients

POUR 4 PERSONNES

350 g de gnocchis
4 cuil. à soupe d'huile d'olive
60 g de beurre
3 grosses gousses d'ail, finement émincées
200 g de thon en boîte, égoutté et émietté
2 cuil. à soupe de jus de citron
1 cuil. à soupe de câpres, égouttées
10 à 12 olives noires, dénoyautées et émincées
2 cuil. à soupe de persil plat frais haché
mesclun, en accompagnement

méthode

1 Cuire les pâtes à l'eau bouillante salée jusqu'à ce qu'elles soient *al dente*, égoutter et remettre dans la casserole.

2 Dans une poêle, chauffer l'huile d'olive et la moitié du beurre à feu moyen à doux, ajouter l'ail et cuire quelques secondes, jusqu'à ce qu'il commence à se colorer. Réduire le feu, ajouter le thon, le jus de citron, les câpres et les olives, et faire revenir délicatement jusqu'à ce que le tout soit bien chaud.

3 Transférer les pâtes dans un plat de service chaud, ajouter le contenu de la poêle et incorporer le persil et le beurre restant. Bien mélanger et servir immédiatement, accompagné de mesclun.

risotto au thon & aux pignons

ingrédients

POUR 4 PERSONNES

1,2 l de fumet de poisson ou de bouillon de volaille, frémissant
45 g de beurre
4 cuil. à soupe d'huile d'olive
1 petit oignon, finement haché
280 g de riz pour risotto
225 g de thon en boîte, égoutté, ou de steaks de thon grillés
8 à 10 olives noires, dénoyautées et émincées
1 petit piment, finement haché
1 cuil. à café de persil frais finement haché
1 cuil. à café de marjolaine fraîche hachée
2 cuil. à soupe de vinaigre de vin blanc
55 g de pignons
1 gousse d'ail, hachée
225 g de tomates, mondées, épépinées et concassées
85 g de parmesan ou de grana padano
sel et poivre

méthode

1 Dans une casserole, chauffer 1 cuillerée à soupe d'huile et 25 g de beurre à feu moyen, ajouter l'oignon et cuire 5 minutes en remuant de temps en temps, jusqu'à ce qu'il soit tendre et doré. Réduire le feu, ajouter le riz et cuire 2 à 3 minutes à feu moyen sans cesser de remuer, jusqu'à ce qu'il soit translucide. Mouiller avec une louche de bouillon, cuire sans cesser de remuer jusqu'à absorption et répéter l'opération avec le bouillon restant. Le risotto doit être toujours frémissant. L'opération prend environ 20 minutes.

2 Dans une terrine, émietter le thon, ajouter les olives, le piment, le persil, la marjolaine et le vinaigre, et saler et poivrer à volonté. Dans une poêle, chauffer l'huile restante, ajouter les pignons et l'ail, et faire revenir 2 minutes à feu vif sans cesser de remuer, jusqu'à ce qu'ils soient dorés. Ajouter les tomates, mélanger et cuire encore 3 à 4 minutes à feu moyen, jusqu'à ce qu'elles soient bien chaudes. Ajouter le tout dans la terrine, mélanger et incorporer la préparation obtenue au risotto après 15 minutes de cuisson.

3 Retirer le risotto du feu, incorporer le beurre restant et le parmesan de sorte qu'ils fondent, répartir dans des assiettes chaudes et servir immédiatement.

linguine au saumon fumé & à la roquette

ingrédients

POUR 4 PERSONNES

350 g de linguine
2 cuil. à soupe d'huile d'olive
1 gousse d'ail, finement hachée
115 g de saumon fumé, coupé en lanières
55 g de roquette
sel et poivre
4 demi-citrons, en garniture

méthode

1 Porter une casserole d'eau salée à ébullition, ajouter les pâtes et cuire 8 à 10 minutes, jusqu'à ce qu'elles soient *al dente*.

2 Dans une poêle, chauffer l'huile d'olive, ajouter l'ail et cuire 1 minute à feu doux sans cesser de remucr, jusqu'à ce qu'il se colore. Veiller à ne pas laisser brunir, l'ail prendrait alors un goût amer. Ajouter le saumon et la roquette, saler et poivrer. Cuire 1 minute sans cesser de remuer et retirer du feu.

3 Égoutter les pâtes, transférer dans un plat de service chaud et ajouter la préparation à base de saumon. Mélanger délicatement et servir, garni de demi-citrons.

gratin de spaghettis au saumon & aux crevettes

ingrédients

POUR 6 PERSONNES

350 g de spaghettis
70 g de beurre, un peu plus pour graisser
200 g de saumon fumé, coupé en lanières
280 g de grosses crevettes, cuites, décortiquées et déveinées
300 ml de béchamel (*voir* page 168)
115 g de parmesan, fraîchement râpé

méthode

1 Porter à ébullition une casserole d'eau salée, ajouter les pâtes et cuire 8 à 10 minutes, jusqu'à ce qu'elles soient *al dente*. Égoutter, remettre dans la casserole et incorporer 50 g de beurre.

2 Répartir la moitié des pâtes dans un plat à gratin graissé, couvrir de lanières de saumon et garnir de crevettes. Napper de béchamel et parsemer de la moitié du parmesan. Répéter l'opération avec les ingrédients restants. Couper le beurre restant en dés et répartir sur le gratin.

3 Cuire au four préchauffé 15 minutes à 180 °C (th. 6), jusqu'à ce que le gratin soit doré. Servir immédiatement.

pâtes estivales

ingrédients

POUR 4 PERSONNES

2 cuil. à soupe de jus de citron
4 petits artichauts
7 cuil. à soupe d'huile d'olive
2 échalotes, finement hachées
2 gousses d'ail, finement hachées
2 cuil. à soupe de persil plat frais haché
2 cuil. à soupe de menthe fraîche hachée
350 g de rigatonis ou autres pâtes tubulaires
30 g de beurre
12 grosses crevettes crues, décortiquées, déveinées et coupées en deux
sel et poivre

méthode

1 Remplir un bol d'eau froide et ajouter le jus de citron. Couper les tiges des artichauts, retirer les feuilles les plus dures et couper l'extrémité des feuilles restantes. Couper en deux dans la hauteur, retirer le foin et détailler en tranches de 5 mm d'épaisseur. Plonger dans le bol au fur et à mesure de sorte que les artichauts ne s'oxydent pas.

2 Dans une poêle, chauffer 5 cuillerées à soupe d'huile. Égoutter les artichauts sur du papier absorbant, mettre dans la poêle et ajouter les échalotes, l'ail, le persil et la menthe. Cuire 10 à 12 minutes à feu doux en remuant de temps en temps, jusqu'à ce que le tout soit tendre.

3 Porter une casserole d'eau salée à ébullition, ajouter les pâtes et cuire 8 à 10 minutes, jusqu'à ce qu'elles soient *al dente*.

4 Dans une autre poêle, faire fondre le beurre, ajouter les crevettes et cuire 2 à 3 minutes, jusqu'à ce qu'elles aient changé de couleur. Saler et poivrer.

5 Égoutter les pâtes, transférer dans un plat de service chaud, ajouter l'huile restante et bien mélanger. Incorporer la préparation à base d'artichaut et les crevettes, et servir immédiatement.

gratin de macaronis aux fruits de mer

ingrédients

POUR 4 PERSONNES

- 350 g de macaronis
- 60 g de beurre, un peu plus pour graisser
- 2 petits bulbes de fenouil, finement émincés
- 175 g de champignons, finement émincés
- 175 g de crevettes cuites décortiquées
- 1 pincée de poivre de Cayenne
- 300 ml de béchamel (*voir* page 168)
- 55 g de parmesan, fraîchement râpé
- 2 grosses tomates, coupées en rondelles
- huile d'olive, pour graisser
- 1 cuil. à café d'origan séché
- sel et poivre

méthode

1 Préchauffer le four à 180 °C (th. 6). Porter une casserole d'eau salée à ébullition, ajouter les pâtes et cuire 8 à 10 minutes, jusqu'à ce qu'elles soient al dente. Égoutter, remettre dans la casserole et incorporer 30 g de beurre. Couvrir, secouer la casserole et réserver au chaud.

2 Dans une autre casserole, faire fondre le beurre restant, ajouter le fenouil et cuire 3 à 4 minutes. Ajouter les champignons et cuire encore 2 minutes. Incorporer les crevettes et retirer du feu. Ajouter le poivre de Cayenne à la béchamel. Mélanger les pâtes, les fruits de mer et la béchamel.

3 Beurrer un plat à gratin, garnir du mélange et saupoudrer de parmesan. Disposer les rondelles de tomates sur les bords, enduire d'huile d'olive et parsemer d'origan. Cuire au four préchauffé 25 minutes, jusqu'à ce que le gratin soit doré. Servir immédiatement.

risotto aux asperges & aux crevettes

ingrédients

POUR 4 PERSONNES

1,2 l de bouillon de légumes ou de volaille, frémissant
375 g d'asperges fraîches, coupées en tronçons de 5 cm
2 cuil. à soupe d'huile d'olive
1 oignon, finement haché
1 gousse d'ail, hachée
350 g de riz pour risotto
450 g de crevettes crues, décortiquées et déveinées
2 cuil. à soupe de tapenade
2 cuil. à soupe de basilic frais haché
sel et poivre
parmesan, fraîchement râpé et brins de basilic frais, en garniture

méthode

1 Dans une casserole, porter le bouillon à ébullition, ajouter les asperges et cuire 3 minutes, jusqu'à ce qu'elles soient cuites. Retirer les asperges du bouillon, rafraîchir à l'eau courante, égoutter et réserver.

2 Reverser le bouillon dans la casserole, porter à ébullition et réserver à frémissement.

3 Dans une autre casserole, chauffer l'huile, ajouter l'oignon et cuire 5 minutes à feu moyen en remuant de temps en temps, jusqu'à ce qu'il soit tendre. Ajouter l'ail et cuire 30 secondes.

4 Réduire le feu, ajouter le riz et cuire 2 à 3 minutes à feu moyen sans cesser de remuer, jusqu'à ce qu'il soit translucide. Mouiller avec une louche de bouillon, cuire sans cesser de remuer jusqu'à absorption et répéter l'opération avec le bouillon restant. Le risotto doit être toujours frémissant. L'opération prend environ 20 minutes. Saler et poivrer. Ajouter les crevettes et les asperges avec la dernière louche de bouillon.

5 Retirer la casserole du feu, ajouter la tapenade et le basilic, et rectifier l'assaisonnement. Répartir le risotto dans des assiettes chaudes, garnir de parmesan et de brins de basilic, et servir immédiatement.

fettuccines aux cèpes & aux noix de Saint-Jacques

ingrédients

POUR 4 PERSONNES

25 g de cèpes déshydratés
550 ml d'eau chaude
3 cuil. à soupe d'huile d'olive
40 g de beurre
350 g de noix de Saint-Jacques, émincées
2 gousses d'ail, très finement hachées
2 cuil. à soupe de jus de citron
250 ml de crème fraîche épaisse
sel et poivre
350 g de fettuccines ou de pappardelle
2 cuil. à soupe de persil plat frais haché, en garniture

méthode

1 Mettre les cèpes dans un bol, couvrir d'eau chaude et laisser tremper 20 minutes. Hacher grossièrement les cèpes et filtrer le liquide de trempage au chinois.

2 Dans une poêle, chauffer l'huile et le beurre, ajouter les noix de Saint-Jacques et cuire 2 minutes, jusqu'à ce qu'elles soient dorées. Ajouter l'ail et les cèpes, et faire revenir 1 minute.

3 Incorporer le jus de citron, la crème fraîche et 125 ml du liquide de trempage des cèpes, porter à ébullition et laisser mijoter 2 à 3 minutes à feu moyen sans cesser de remuer, jusqu'à ce que le liquide ait réduit de moitié. Saler, poivrer et retirer du feu.

4 Cuire les pâtes à l'eau bouillante salée jusqu'à ce qu'elles soient *al dente*, égoutter et transférer dans un plat de service chaud. Réchauffer la sauce, napper les pâtes et garnir de persil. Bien mélanger et servir immédiatement.

risotto safrané aux noix de Saint-Jacques

ingrédients

POUR 4 PERSONNES

16 noix de Saint-Jacques
jus d'un citron, un peu plus pour assaisonner
1,2 l de bouillon de légumes ou de volaillle, frémissant
1 cuil. à soupe d'huile d'olive, un peu plus pour graisser
40 g de beurre
1 petit oignon, finement haché
280 g de riz pour risotto
1 cuil. à café de filaments de safran émiettés
2 cuil. à soupe d'huile
115 g de parmesan, fraîchement râpé
sel et poivre

garniture

1 citron, coupé en quartiers
2 cuil. à café de zeste de citron râpé

méthode

1 Dans une terrine non métallique, mettre les noix de Saint-Jacques et le jus de citron, couvrir de film alimentaire et mettre au réfrigérateur 15 minutes.

2 Dans une casserole, chauffer l'huile et 25 g de beurre à feu moyen, ajouter l'oignon et cuire 5 minutes en remuant de temps en temps, jusqu'à ce qu'il soit légèrement doré. Réduire le feu, ajouter le riz et cuire 2 à 3 minutes à feu moyen sans cesser de remuer, jusqu'à ce qu'il soit translucide. Faire infuser le safran dans 4 cuillerées à soupe de bouillon et incorporer au riz. Mouiller avec une louche de bouillon, cuire sans cesser de remuer jusqu'à absorption et répéter l'opération avec le bouillon restant. Le risotto doit être toujours frémissant. L'opération prend environ 20 minutes. Saler et poivrer.

3 Chauffer une poêle à fond rainuré à feu vif, huiler et saisir les noix de Saint-Jacques 3 à 4 minutes de chaque côté. Veiller à ne pas trop les cuire de sorte qu'elles ne soient pas caoutchouteuses.

4 Retirer le risotto du feu, incorporer le beurre restant et le parmesan de sorte qu'ils fondent et arroser de jus de citron. Répartir dans des assiettes chaudes, ajouter les noix de Saint-Jacques et garnir de quartiers de citron. Parsemer de zeste et servir immédiatement.

risotto de calmar au beurre à l'ail

ingrédients

POUR 4 PERSONNES

8 à 12 petits calmars
1,2 l de bouillon de légumes ou de volaille, frémissant
1 cuil. à soupe d'huile d'olive
150 g de beurre
1 petit oignon, finement haché
280 g de riz pour risotto
3 gousses d'ail, écrasées
85 g de parmesan, fraîchement râpé
sel et poivre
2 cuil. à soupe de persil frais finement haché, en garniture

méthode

1 Parer les calmars, rincer et sécher avec du papier absorbant. Détailler les tentacules en morceaux. Couper les manteaux en deux dans la longueur et pratiquer des incisions en losange.

2 Dans une casserole, chauffer l'huile et 25 g de beurre à feu moyen, ajouter l'oignon et cuire 5 minutes sans cesser de remuer, jusqu'à ce qu'il soit tendre et commence à dorer. Réduire le feu, ajouter le riz et cuire 2 à 3 minutes à feu moyen sans cesser de remuer, jusqu'à ce qu'il soit translucide. Mouiller avec une louche de bouillon, cuire sans cesser de remuer jusqu'à absorption et répéter l'opération avec le bouillon restant. Le risotto doit être toujours frémissant. L'opération prend 20 minutes. Saler et poivrer.

3 Dans une poêle, faire fondre 115 g de beurre, ajouter l'ail et cuire 2 minutes, jusqu'à ce qu'il soit tendre. Augmenter le feu, ajouter les calmars et faire revenir 2 à 3 minutes. Retirer les calmars de la poêle à l'aide d'une écumoire et réserver le beurre à l'ail. Veiller à ne pas trop cuire les calmars de sorte qu'ils ne soient pas caoutchouteux.

Retirer le risotto du feu, incorporer le beurre restant et le parmesan de sorte qu'ils fondent, et répartir dans des assiettes chaudes. Garnir de calmars, napper de beurre à l'ail et parsemer de persil. Servir immédiatement.

petits gratins de fruits de mer

ingrédients

POUR 6 PERSONNES

350 g de conchiglie
90 g de beurre, un peu plus pour graisser
2 bulbes de fenouil, finement émincés
175 g de champignons, finement émincés
175 g de crevettes cuites et décortiquées
175 g de chair de crabe cuite
1 pincée de poivre de Cayenne
300 ml de béchamel (*voir* page 168)
55 g de parmesan, fraîchement râpé
2 tomates cœur de bœuf, coupées en rondelles
huile d'olive, pour graisser
mesclun et pain frais, en accompagnement

méthode

1 Porter à ébullition une casserole d'eau salée, ajouter les pâtes et cuire 8 à 10 minutes, jusqu'à ce qu'elles soient *al dente*. Égoutter, remettre dans la casserole et incorporer 30 g de beurre. Couvrir et réserver au chaud.

2 Dans une poêle, faire fondre le beurre restant, ajouter le fenouil et cuire 5 minutes à feu moyen, jusqu'à ce qu'il soit tendre. Incorporer les champignons et cuire encore 2 minutes. Incorporer les crevettes et la chair de crabe, et cuire encore 1 minute. Retirer la poêle du feu.

3 Graisser 6 plats à gratin individuels. Mélanger la béchamel, la préparation à base de fruits de mer et les pâtes, incorporer le poivre de Cayenne et répartir dans les plats. Saupoudrer de parmesan, garnir de rondelles de tomates et badigeonner d'huile d'olive.

4 Cuire au four préchauffé 25 minutes à 180 °C (th. 6), jusqu'à ce que les gratins soient dorés. Servir accompagné de mesclun et de pain frais.

spaghettis aux palourdes

ingrédients

POUR 4 PERSONNES

1 kg de palourdes, grattées à l'eau courante*
175 ml d'eau
175 ml de vin blanc sec
350 g de spaghettis
5 cuil. à soupe d'huile d'olive
2 gousses d'ail, finement hachées
4 cuil. à soupe de persil plat frais haché
sel et poivre

* Jeter les palourdes dont la coquille est abîmée et celles qui ne se ferment pas au toucher.

méthode

1 Dans une casserole, mettre les palourdes, ajouter l'eau et le vin, et couvrir. Cuire 5 minutes à feu vif en secouant la casserole, jusqu'à ce qu'elles soient ouvertes.

2 Retirer les palourdes de la casserole à l'aide d'une écumoire et laisser tiédir. Filtrer au chinois le liquide de cuisson dans une petite casserole, porter à ébullition et cuire jusqu'à ce qu'il ait réduit de moitié. Retirer du feu. Jeter les palourdes qui sont restées fermées, décoquiller et réserver.

3 Porter une casserole d'eau salée à ébullition, ajouter les pâtes et cuire 8 à 10 minutes, jusqu'à ce qu'elles soient *al dente*.

4 Dans une poêle, chauffer l'huile d'olive, ajouter l'ail et cuire 2 minutes en remuant souvent. Ajouter le persil, mouiller avec le liquide de cuisson des palourdes et laisser mijoter à feu doux.

5 Égoutter les pâtes, incorporer dans la poêle et ajouter les palourdes. Saler, poivrer et cuire 4 minutes sans cesser de remuer, jusqu'à ce que les pâtes soient bien enrobées de sauce et que les palourdes soient très chaudes. Transférer dans un plat de service et servir immédiatement.

pizza aux fruits de mer

ingrédients

POUR 2 PERSONNES

pâte à pizza (*voir* page 200)
farine, pour saupoudrer
huile d'olive vierge, pour graisser
sauce tomate (*voir* page 80)
225 g de fruits de mer frais cuits, crevettes, moules et anneaux de calmars, par exemple
1/2 poivron rouge, épépiné et haché
1/2 poivron jaune, épépiné et haché
1 cuil. à soupe de câpres, rincées
55 g de fromage italien de type taleggio, râpé
3 cuil. à soupe de parmesan râpé
1/2 cuil. à café d'origan séché
75 g de filets d'anchois à l'huile, égouttés et hachés
10 olives noires, dénoyautées
sel et poivre

méthode

1 Sur un plan fariné, pétrir la pâte brièvement et abaisser en un rond de 7 à 8 mm d'épaisseur. Transférer sur une plaque de four huilée et relever les bords avec les doigts de façon à donner de l'épaisseur à la croûte pour former une croûte.

2 Napper la pâte de sauce tomate en laissant une marge, répartir les fruits de mer et les poivrons sur le fond et garnir de câpres.

3 Parsemer de fromage et d'origan, ajouter les filets d'anchois et les olives, et arroser d'huile d'olive. Saler et poivrer.

4 Cuire au four préchauffé 20 à 25 minutes à 220 °C (th. 7-8), jusqu'à ce que la pâte soit croustillante et que les fromages aient fondu. Servir immédiatement.

plats de légumes

La cuisine italienne est idéale pour ceux qui aiment centrer leurs repas autour de légumes. Il est de connu que le régime méditerranéen présente un grand intérêt nutritif. Cela tient largement à la profusion de légumes intensément colorés, à la présence des aubergines, tomates, courgettes, artichauts, poivrons qui, mariés à l'huile d'olive, favorisent la santé cardiovasculaire et influent, aux dires de certains, sur la longévité.

Ce chapitre présente des plats roboratifs pour l'hiver, cuits au four, mais aussi des risottos légers dont le goût est souligné par les couleurs et la texture de glorieux légumes d'été. Un bon parmesan apportera une exquise touche finale à un risotto (et d'ailleurs à de nombreux autres plats). Selon les spécificités imposées par la loi, le plus célèbre des fromages transalpins ne peut être produit que dans une étroite zone géographique située aux alentours de Parme. Cherchez les mots « Parmigiano Reggiano » et vous saurez que vous avez mis la main sur le bon produit. Conservez le parmesan dans une feuille de papier aluminium, au réfrigérateur, et râpez-le au fur et à mesure des besoins.

Vous trouverez également quelques appétissantes recettes de pâtes dans ce chapitre. Comme nous l'avons indiqué, les pâtes se prêtent admirablement à l'accompagnement des légumes, et souvent, se révèlent très faciles et rapides à préparer.

aubergines à la mozzarella & au parmesan

ingrédients

POUR 6 À 8 PERSONNES

3 aubergines, coupées en fines rondelles
huile d'olive, pour graisser
300 g de mozzarella de bufflonne, coupée en lamelles
115 g de parmesan, fraîchement râpé
3 cuil. à soupe de chapelure blanche
15 g de beurre
brins de persil plat frais, en garniture

sauce tomate au basilic

2 cuil. à soupe d'huile d'olive vierge
4 échalotes, finement hachées
2 gousses d'ail, finement hachées
400 g de tomates en boîte
1 cuil. à café de sucre
8 feuilles de basilic frais, ciselées
sel et poivre

méthode

1 Répartir les rondelles d'aubergines en une seule couche sur une plaque de four, enduire d'huile et cuire au four préchauffé 15 à 20 minutes à 200 °C (th. 6-7), jusqu'à ce qu'elles soient tendres sans se déliter.

2 Pour la sauce, chauffer l'huile dans une casserole, ajouter les échalotes et cuire 5 minutes en remuant de temps en temps, jusqu'à ce qu'elles soient tendres. Ajouter l'ail et cuire encore 1 minute. Ajouter les tomates avec leur jus, les écraser à l'aide d'une cuillère en bois et incorporer le sucre. Saler, poivrer et porter à ébullition. Réduire le feu et laisser mijoter 10 minutes, jusqu'à obtention d'une consistance épaisse. Incorporer le basilic.

3 Huiler un plat à gratin et répartir les rondelles d'aubergines dans le fond. Couvrir avec la moitié de la mozzarella, napper de la moitié de la sauce tomate et saupoudrer de la moitié du parmesan. Répéter l'opération en terminant par le parmesan restant, mélangé à la chapelure.

4 Parsemer le gratin de noix de beurre et cuire 25 minutes, jusqu'à ce que la chapelure soit dorée. Sortir du four, laisser reposer 5 minutes et servir, garni de persil.

gratin d'aubergines aux tomates

ingrédients

POUR 4 PERSONNES

600 g d'aubergines, coupées en rondelles de 1 cm d'épaisseur
gros sel
600 g de tomates, coupées en rondelles de 1 cm d'épaisseur
225 ml d'huile d'olive
sel et poivre
115 g de parmesan, fraîchement râpé
2 cuil. à soupe de chapelure blanche

méthode

1 Mettre les rondelles d'aubergines dans une passoire, saupoudrer de sel et laisser dégorger dans l'évier 30 minutes. Sécher les rondelles de tomates avec du papier absorbant. Rincer les rondelles d'aubergines à l'eau courante et sécher avec du papier absorbant.

2 Dans une poêle, chauffer 2 cuillerées à soupe d'huile d'olive, ajouter les rondelles de tomates et cuire 30 secondes sur chaque face. Transférer dans une terrine, saler et poivrer.

3 Essuyer la poêle avec du papier absorbant, ajouter 2 cuillerées à soupe d'huile d'olive et chauffer. Ajouter une partie des rondelles d'aubergines et faire revenir sur chaque face jusqu'à ce qu'elles soient uniformément dorées. Retirer de la poêle, égoutter sur du papier absorbant et répéter l'opération avec les rondelles d'aubergines restantes en ajoutant éventuellement de l'huile supplémentaire.

4 Huiler un grand plat à gratin, alterner des couches de tomates et d'aubergines en saupoudrant chaque couche de parmesan. Garnir le tout de chapelure et arroser avec l'huile restante.

5 Cuire au four préchauffé 25 à 30 minutes à 180 °C (th. 6), jusqu'à ce que le gratin soit doré, et servir immédiatement.

boulettes d'épinards à la ricotta

ingrédients

POUR 4 PERSONNES

1 kg d'épinards frais, tiges dures retirées
350 g de ricotta
115 g de parmesan, fraîchement râpé
3 œufs, légèrement battus
1 pincée de noix muscade fraîchement râpée
sel et poivre
115 à 175 g de farine, un peu plus pour saupoudrer

beurre aux fines herbes

115 g de beurre
2 cuil. à soupe d'origan frais haché
2 cuil. à soupe de sauge fraîche hachée

méthode

1 Rincer les épinards, mettre dans une casserole sans égoutter et couvrir. Cuire 6 à 8 minutes, jusqu'à ce qu'ils soient flétris, égoutter et réserver.

2 Presser les épinards de façon à exprimer l'excédent de liquide, hacher finement et mettre dans une terrine. Ajouter la ricotta, la moitié du parmesan, les œufs et la noix muscade, saler et poivrer. Bien battre le tout, tamiser 115 g de farine dans la terrine et mélanger jusqu'à obtention d'une consistance homogène, en ajoutant de la farine si nécessaire. Couvrir et mettre au réfrigérateur 1 heure.

3 Les mains farinées, façonner des boulettes avec la préparation obtenue en les manipulant le moins possible et saupoudrer légèrement de farine.

4 Porter une casserole d'eau salée à ébullition, ajouter les boulettes et cuire 2 à 3 minutes, jusqu'à ce qu'elles remontent à la surface. Égoutter et réserver.

5 Pour le beurre aux fines herbes, faire fondre le beurre dans une poêle, ajouter les fines herbes et cuire 1 minute à feu doux en remuant souvent. Ajouter les boulettes et faire revenir 1 minute. Transférer dans un plat de service chaud, parsemer du parmesan restant et servir immédiatement.

raviolis épinards & ricotta

ingrédients

POUR 4 PERSONNES

pâte aux épinards

225 g de feuilles d'épinard
200 g de farine, un peu plus pour saupoudrer
1 pincée de sel
2 œufs, légèrement battus
1 cuil. à soupe d'huile d'olive

garniture

350 g de feuilles d'épinards, tiges dures retirées
225 g de ricotta, battue
55 g de parmesan fraîchement râpé,
un peu plus pour garnir
2 œufs, légèrement battus
1 pincée de noix muscade
poivre
farine, pour saupoudrer

méthode

1 Pour la pâte, blanchir les épinards à l'eau bouillante 1 minute, égoutter et hacher très finement. Tamiser la farine dans un robot de cuisine, ajouter les épinards, le sel, les œufs et l'huile, et mixer jusqu'à ce que les ingrédients s'agglomèrent. Pétrir le tout sur un plan fariné jusqu'à obtention d'une pâte souple, couvrir et laisser reposer 30 minutes.

2 Pour la garniture, rincer les épinards, mettre dans une casserole sans égoutter et cuire 5 minutes à feu doux, jusqu'à ce qu'ils soient flétris. Égoutter, presser de façon à exprimer l'excédent d'eau et hacher. Incorporer la ricotta, le parmesan, 1 œuf et la noix muscade, et poivrer.

3 Diviser la pâte en deux, abaisser une moitié sur un plan fariné et couvrir. Abaisser l'autre moitié, y déposer de petites quantités de farce en les espaçant de 4 cm et enduire les marges avec un peu de l'œuf battu restant. Superposer la seconde abaisse, bien presser entre les portions de farce et couper en carrés. Déposer sur un torchon et laisser reposer 1 heure.

4 Porter une casserole d'eau salée à ébullition, ajouter les raviolis et cuire 5 minutes. Égoutter sur du papier absorbant et servir, garni de parmesan râpé.

radiatore & leur sauce au potiron

ingrédients

POUR 4 PERSONNES

55 g de beurre
115 g d'oignons blancs ou d'échalotes, très finement hachés
800 g de potiron (poids total)
1 pincée de noix muscade
350 g de radiatore
200 ml de crème fraîche liquide
4 cuil. à soupe de parmesan râpé, un peu plus pour garnir
2 cuil. à soupe de persil plat frais haché
sel et poivre

méthode

1 Dans une casserole, faire fondre le beurre à feu doux, ajouter les oignons, saler et couvrir. Cuire 25 à 30 minutes en remuant souvent.

2 Peler le potiron, épépiner et hacher la pulpe. Ajouter le potiron dans la casserole, incorporer la noix muscade et couvrir. Cuire 45 minutes à feu doux en remuant de temps en temps.

3 Porter à ébullition une casserole d'eau salée, ajouter les pâtes et cuire 8 à 10 minutes, jusqu'à ce qu'elles soient *al dente*. Égoutter en réservant 150 ml d'eau de cuisson.

4 Incorporer la crème fraîche, le parmesan et le persil à la préparation à base de potiron, saler et poivrer. Mouiller éventuellement avec l'eau de cuisson des pâtes si la préparation semble trop épaisse. Incorporer les pâtes et chauffer sans cesser de remuer 1 minute. Servir immédiatement, garni de parmesan.

lasagnes végétariennes

ingrédients

POUR 4 PERSONNES

huile d'olive, pour graisser
2 aubergines, coupées en rondelles
30 g de beurre
1 gousse d'ail, finement hachée
4 courgettes, coupées en rondelles
1 cuil. à soupe de persil plat frais haché
1 cuil. à soupe de marjolaine fraîche finement hachée
225 g de mozzarella, râpée
625 ml de coulis de tomate en boîte
175 g de lasagnes non précuites
sel et poivre
55 g de parmesan, fraîchement râpé

béchamel

300 ml de lait
1 feuille de laurier
6 grains de poivre noir
rondelles d'oignon
1 pincée de macis
30 g de beurre
3 cuil. à soupe de farine
sel et poivre

méthode

1 Pour la béchamel, verser le lait dans une casserole, ajouter la feuille de laurier, les grains de poivre, l'oignon et le macis, et porter au point de frémissement. Retirer du feu et couvrir. Laisser infuser 10 minutes et filtrer. Dans une autre casserole, faire fondre le beurre, ajouter la farine et cuire 1 minute à feu doux sans cesser de remuer. Incorporer progressivement le lait, porter à ébullition et cuire sans cesser de remuer jusqu'à obtention d'une béchamel lisse et épaisse. Saler et poivrer.

2 Huiler un gril en fonte et chauffer jusqu'à ce que l'huile soit fumante, ajouter les rondelles d'une aubergine et cuire 8 minutes à feu moyen, jusqu'à ce qu'elles soient uniformément dorées. Égoutter sur du papier absorbant et répéter l'opération avec l'aubergine restante.

3 Dans une poêle, faire fondre le beurre, ajouter l'ail, les courgettes, le persil et la marjolaine, et cuire 5 minutes à feu moyen en remuant souvent, jusqu'à ce que les courgettes soient dorées. Égoutter sur du papier absorbant.

4 Dans un plat à gratin, alterner des couches d'aubergines, de courgettes, de mozzarella, de coulis de tomate et de lasagnes en salant et poivrant au fur et à mesure. Badigeonner d'huile d'olive, napper de béchamel et garnir de parmesan et cuire 30 à 40 minutes au four préchauffé à 200 °C (th. 6-7), jusqu'à ce que les lasagnes soient gratinées.

agnolotti aux légumes

ingrédients

POUR 4 PERSONNES

beurre, pour graisser
farine, pour saupoudrer
85 g de parmesan, râpé
mesclun, en garniture

pâte

200 g de farine, un peu plus pour saupoudrer
1 pincée de sel
2 œufs, légèrement battus
1 cuil. à soupe d'huile d'olive

garniture

125 ml d'huile d'olive
1 oignon rouge, haché
3 gousses d'ail, hachées
2 grosses aubergines, coupées en dés
3 grosses courgettes, coupées en dés
6 tomates cœur de bœuf, pelées, épépinées et grossièrement hachées
1 gros poivron vert, épépiné et coupé en dés
1 gros poivron rouge, épépiné et coupé en dés
1 cuil. à soupe de concentré de tomates séchées
1 cuil. à soupe de basilic frais haché
sel et poivre

méthode

1 Pour la pâte, tamiser la farine dans un robot de cuisine, ajouter le sel, le œufs et l'huile d'olive, et mixer jusqu'à ce que les ingrédients s'agglomèrent. Pétrir sur un plan fariné jusqu'à obtention d'une pâte homogène, couvrir et laisser reposer 30 minutes.

2 Pour la garniture, chauffer l'huile d'olive dans une casserole, ajouter l'oignon et l'ail, et cuire 5 minutes à feu doux en remuant de temps en temps, jusqu'à ce que l'oignon soit tendre. Ajouter les aubergines, les courgettes, les tomates, les poivrons, les tomates séchées et le basilic. Saler, poivrer et couvrir. Laisser mijoter 20 minutes à feu doux en remuant de temps en temps.

3 Graisser un plat à gratin. Sur un plan fariné, abaisser la pâte et découper des ronds de 7,5 cm de diamètre à l'aide d'un emporte-pièce. Déposer 1 cuillerée de garniture au centre de chaque rond, humecter les bords et souder de façon à obtenir des agnolotti.

4 Porter à ébullition une casserole d'eau salée, ajouter les agnolotti et cuire 3 à 4 minutes. Égoutter, transférer dans le plat et garnir de parmesan. Cuire au four préchauffé 20 minutes à 200 °C (th. 6-7) et servir accompagné de mesclun.

pennes aux champignons & leur sauce crémeuse

ingrédients

POUR 4 PERSONNES

55 g de beurre
1 cuil. à soupe d'huile d'olive
6 échalotes, émincées
450 g de champignons de Paris, émincés
sel et poivre
1 cuil. à café de farine
150 ml de crème fraîche épaisse
2 cuil. à soupe de porto
115 g de tomates séchées au soleil à l'huile, égouttées et hachées
1 pincée de noix muscade
350 g de pennes
2 cuil. à soupe de persil plat frais haché

méthode

1 Dans une poêle, chauffer le beurre et l'huile d'olive, ajouter les échalotes et cuire 4 à 5 minutes à feu doux sans cesser de remuer, jusqu'à ce qu'elles soient tendres. Ajouter les champignons et cuire encore 2 minutes à feu doux. Saler et poivrer. Saupoudrer de farine et cuire 1 minute sans cesser de remuer.

2 Retirer la poêle du feu et incorporer progressivement la crème fraîche et le porto. Remettre sur le feu, ajouter les tomates séchées et la noix muscade, et cuire 8 minutes à feu doux en remuant de temps en temps.

3 Porter une casserole d'eau salée à ébullition, ajouter les pâtes et cuire 8 à 10 minutes, jusqu'à ce qu'elles soient *al dente*. Égoutter, ajouter à la sauce et cuire 3 minutes. Transférer dans un plat de service chaud, garnir de persil haché et servir immédiatement.

gratin de pâtes aux champignons

ingrédients

POUR 4 PERSONNES

140 g de fontina, coupé en fines lamelles
300 ml de béchamel (*voir* page 168)
85 g de beurre, un peu plus pour graisser
350 g de champignons sauvages, émincés
350 g de tagliatelles
2 jaunes d'œufs
sel et poivre
4 cuil. à soupe de romano râpé
mesclun, en accompagnement

méthode

1 Incorporer les lamelles de fromage à la béchamel et réserver.

2 Dans une casserole, faire fondre 30 g de beurre, ajouter les champignons et cuire 10 minutes à feu doux en remuant de temps en temps.

3 Porter une casserole d'eau salée à ébullition, ajouter les pâtes et cuire 8 à 10 minutes, jusqu'à ce qu'elles soient *al dente*. Égoutter, remettre dans la casserole et ajouter le beurre restant, les jaunes d'œufs et un tiers de la sauce. Saler, poivrer et bien mélanger le tout. Incorporer délicatement les champignons.

4 Graisser un plat à gratin et répartir le mélange à base de pâtes. Napper de la sauce restante, parsemer de romano et cuire au four préchauffé 15 à 20 minutes à 200 °C (th. 6-7), jusqu'à ce que le gratin soit doré. Servir immédiatement, accompagné de mesclun.

cannellonis aux champignons

Ingrédients

POUR 4 PERSONNES

12 cannellonis
30 g de beurre
450 g de champignons sauvages, finement hachés
1 gousse d'ail, finement hachée
85 g de chapelure fraîche
150 ml de lait
4 cuil. à soupe d'huile d'olive, un peu plus pour graisser
225 g de ricotta
6 cuil. à soupe de parmesan, fraîchement râpé
sel et poivre
2 cuil. à soupe de pignons
2 cuil. à soupe d'amandes effilées

sauce tomate

2 cuil. à soupe d'huile d'olive
1 oignon, finement haché
1 gousse d'ail, finement hachée
800 g de tomates concassées en boîte
1 cuil. à soupe de concentré de tomate
8 olives noires, dénoyautées et hachées
sel et poivre

méthode

1 Porter à ébullition une casserole d'eau salée, ajouter les cannellonis et cuire 8 à 10 minutes, jusqu'à ce qu'ils soient *al dente*. Transférer dans un plat à l'aide d'une écumoire et sécher avec du papier absorbant.

2 Pour la sauce, chauffer l'huile dans une poêle, ajouter l'oignon et l'ail, et cuire 5 minutes à feu doux, jusqu'à ce qu'ils soient tendres. Ajouter les tomates avec leur jus, le concentré de tomate et les olives, saler et poivrer. Porter à ébullition et cuire 3 à 4 minutes. Répartir la sauce dans un plat à gratin graissé.

3 Pour la farce, faire fondre le beurre dans une poêle, ajouter les champignons et l'ail, et cuire 3 à 5 minutes à feu moyen en remuant de temps en temps, jusqu'à ce qu'ils soient tendres. Retirer du feu. Mélanger la chapelure, le lait et l'huile d'olive, incorporer la ricotta, la préparation à base de champignons et 4 cuillerées à soupe de parmesan. Saler et poivrer.

4 Garnir les cannellonis de la préparation précédente, ajouter dans le plat et badigeonner d'huile d'olive. Parsemer de fromage, de pignons et d'amandes effilées, et cuire au four préchauffé 25 minutes à 190 °C (th. 6-7), jusqu'à ce que le gratin soit doré.

fusillis au gorgonzola & aux champignons

ingrédients

POUR 4 PERSONNES

350 g de fusillis
3 cuil. à soupe d'huile d'olive
350 g de champignons sauvages, émincés
1 gousse d'ail, finement hachée
400 ml de crème fraîche épaisse
250 g de gorgonzola, émietté
sel et poivre
2 cuil. à soupe de persil plat frais haché

méthode

1 Porter à ébullition une casserole d'eau salée, ajouter les pâtes et cuire 8 à 10 minutes, jusqu'à ce qu'elles soient *al dente*.

2 Dans une casserole, chauffer l'huile d'olive, ajouter les champignons et cuire 5 minutes à feu doux en remuant souvent. Ajouter l'ail et cuire encore 2 minutes.

3 Ajouter la crème fraîche, porter à ébullition et cuire 1 minute, jusqu'à ce qu'elle ait épaissi. Incorporer le gorgonzola et cuire à feu doux jusqu'à ce qu'il ait fondu. Veiller à ne pas laisser bouillir la sauce une fois le fromage incorporé. Saler, poivrer et retirer du feu.

4 Égoutter les pâtes, incorporer à la sauce aux champignons et servir immédiatement, garni de persil.

pennes aux poivrons & au fromage de chèvre

ingrédients

POUR 4 PERSONNES

2 cuil. à soupe d'huile d'olive
15 g de beurre
1 petit oignon, finement haché
4 poivrons, jaunes et rouges, épépinés et coupés en carrés de 2 cm
3 gousses d'ail, finement émincées
sel et poivre
450 g de pennes
125 g de fromage de chèvre, émietté
15 feuilles de basilic frais, ciselées
10 olives noires, dénoyautées et émincées

méthode

1 Dans une poêle, chauffer l'huile à feu moyen, ajouter l'oignon et faire revenir jusqu'à ce qu'il soit tendre. Augmenter le feu, ajouter les poivrons et l'ail, et cuire 12 à 15 minutes sans cesser de remuer, jusqu'à ce que les poivrons soient juste tendres. Saler, poivrer et retirer du feu.

2 Cuire les pâtes à l'eau bouillante salée jusqu'à ce qu'elles soient *al dente*, égoutter et transférer dans un plat de service chaud. Ajouter le fromage de chèvre et bien mélanger.

3 Réchauffer brièvement le contenu de la poêle, ajouter le basilic et les olives, et bien mélanger. Incorporer les pâtes et servir immédiatement.

linguine à l'ail grillé & au poivron rouge

ingrédients

POUR 4 PERSONNES

6 grosses gousses d'ail, non pelées
400 g de poivrons grillés en bocal, égouttés et émincés
200 g de tomates concassées en boîte
3 cuil. à soupe d'huile d'olive
1/4 de cuil. à café de flocons de piment
1 cuil. à café de thym ou d'origan frais, hachés
sel et poivre
350 g de linguine, de spaghettis ou de bucatini
parmesan fraîchement râpé, en garniture

méthode

1 Mettre les gousses d'ail non pelées dans un plat allant au four et cuire au four préchauffé 7 à 10 minutes à 200 °C (th. 6-7), jusqu'à ce que les gousses d'ail soient tendres.

2 Mettre les poivrons, les tomates et l'huile dans un robot de cuisine et réduire en purée. Peler l'ail et ajouter dans le robot de cuisine. Ajouter les flocons de piment et l'origan, saler et poivrer. Mixer finement le tout, transférer dans une casserole et réserver.

3 Cuire les pâtes à l'eau bouillante salée jusqu'à ce qu'elles soient *al dente*. Égoutter et transférer dans un plat de service chaud.

4 Réchauffer la sauce, napper les pâtes et bien mélanger le tout. Servir garni de parmesan.

pâtes all'arrabita & sugocasa épicées

ingrédients

POUR 4 PERSONNES

150 ml de vin blanc sec
1 cuil. à soupe de concentré de tomates séchées au soleil
2 piments rouges frais
2 gousses d'ail, finement hachées
350 g de tortiglioni
4 cuil. à soupe de persil plat frais haché
copeaux de fromage de type romano, en garniture

sugocasa

5 cuil. à soupe d'huile d'olive vierge extra
450 g de tomates, concassées
sel et poivre

méthode

1 Pour la sugocasa, chauffer l'huile dans une poêle jusqu'à ce qu'elle soit fumante, ajouter les tomates et cuire 2 à 3 minutes à feu vif. Réduire le feu et cuire 20 minutes. Saler, poivrer et passer. Transférer dans une casserole.

2 Ajouter le vin, le concentré de tomates séchées au soleil, les piments entiers et l'ail à la sugocasa et porter à ébullition. Réduire le feu et laisser mijoter à feu doux.

3 Porter à ébullition une casserole d'eau salée, ajouter les pâtes et cuire 8 à 10 minutes, jusqu'à ce qu'elles soient *al dente*.

4 Retirer les piments de la sauce. Il est possible de hacher une partie ou la totalité des piments à incorporer dans la casserole pour plus de piquant. Rectifier l'assaisonnement et incorporer la moitié du persil.

5 Égoutter les pâtes, transférer dans un plat de service chaud et incorporer la sauce. Garnir du persil restant et de copeaux de fromage, et servir immédiatement.

risotto vert à la menthe

ingrédients

POUR 6 PERSONNES

1 litre de bouillon de légumes ou de volaille, frémissant
25 g de beurre
225 g de petits pois frais écossés ou surgelés
250 g de pousses d'épinard fraîches, rincées et égouttées
1 botte de menthe fraîche, tiges retirées
2 cuil. à soupe de basilic frais haché
2 cuil. à soupe d'origan frais
1 pincée de noix muscade fraîchement râpée
4 cuil. à soupe de mascarpone ou de crème fraîche épaisse
2 cuil. à soupe d'huile
1 oignon, finement haché
2 branches de céleri, avec les feuilles, finement émincées
2 gousses d'ail, finement hachées
1/2 cuil. à café de thym séché
300 g de riz pour risotto
50 ml de vermouth blanc sec
85 g de parmesan fraîchement râpé

méthode

1 Dans une poêle, chauffer la moitié du beurre à feu moyen, ajouter les petits pois, les pousses d'épinard, la menthe, le basilic, l'origan et la noix muscade, et cuire 3 minutes en remuant souvent, jusqu'à ce que les pousses d'épinard et les feuilles de menthe soient flétries. Laisser tiédir. Transférer la préparation obtenue dans un robot de cuisine, mixer 15 secondes et ajouter le mascarpone. Mixer encore 1 minute, transférer dans une terrine et réserver.

2 Dans une autre casserole, chauffer l'huile et le beurre restant à feu moyen jusqu'à ce que le beurre ait fondu, ajouter l'oignon, le céleri, l'ail et le thym, et cuire 2 minutes en remuant souvent, jusqu'à ce que les légumes soient tendres. Réduire le feu, ajouter le riz et cuire 2 à 3 minutes à feu moyen sans cesser de remuer, jusqu'à ce qu'il soit translucide.

3 Mouiller avec le vermouth et cuire sans cesser de remuer jusqu'à ce que la préparation ait réduit. Mouiller avec une louche de bouillon, cuire sans cesser de remuer jusqu'à absorption et répéter l'opération avec le bouillon restant. Le risotto doit être toujours frémissant. L'opération prend environ 20 minutes. Saler et poivrer.

4 Incorporer la préparation mixée et le parmesan, répartir le risotto dans des assiettes chaudes et servir immédiatement.

risotto aux légumes grillés

ingrédients

POUR 4 PERSONNES

1,2 l de bouillon de légumes ou de volaille, frémissant
1 cuil. à soupe d'huile d'olive
40 g de beurre
1 petit oignon, finement haché
280 g de riz pour risotto
225 g de légumes grillés, poivrons, courgettes et aubergines, par exemple, coupés en morceaux
85 g de parmesan, fraîchement râpé
sel et poivre
2 cuil. à soupe de fines herbes fraîches hachées, en garniture

méthode

1 Dans une casserole, chauffer l'huile et 25 g de beurre à feu moyen jusqu'à ce que le beurre ait fondu. Ajouter l'oignon et cuire 5 minutes en remuant de temps en temps, jusqu'à ce qu'il soit tendre et légèrement doré.

2 Réduire le feu, ajouter le riz et cuire 2 à 3 minutes à feu moyen sans cesser de remuer, jusqu'à ce qu'il soit translucide. Mouiller avec une louche de bouillon, cuire sans cesser de remuer jusqu'à absorption et répéter l'opération avec le bouillon restant. Le risotto doit être toujours frémissant. L'opération prend environ 20 minutes. Réserver quelques légumes pour la garniture et incorporer les légumes restants au risotto après 15 minutes de cuisson. Saler et poivrer.

3 Retirer le risotto du feu, ajouter le beurre restant et mélanger. Incorporer le parmesan de sorte qu'il fonde, répartir le risotto dans des assiettes chaudes et garnir de légumes grillés. Parsemer de fines herbes et servir immédiatement.

risotto aux cœurs d'artichaut

ingrédients

POUR 4 PERSONNES

- 225 g de cœurs d'artichaut en boîte
- 1,2 l de bouillon de légumes ou de volaille, frémissant
- 1 cuil. à soupe d'huile d'olive
- 40 g de beurre
- 1 petit oignon, finement haché
- 280 g de riz pour risotto
- 85 g de parmesan, fraîchement râpé
- sel et poivre
- brins de persil plat frais, en garniture

méthode

1 Égoutter les cœurs d'artichaut en réservant le liquide et les couper en quartiers.

2 Dans une casserole, chauffer l'huile et 25 g de beurre à feu moyen jusqu'à ce que le beurre ait fondu. Ajouter l'oignon et cuire 5 minutes à feu doux en remuant de temps en temps, jusqu'à ce qu'il soit tendre et légèrement doré.

3 Réduire le feu, ajouter le riz et cuire 2 à 3 minutes à feu moyen sans cesser de remuer, jusqu'à ce qu'il soit translucide. Mouiller avec une louche de bouillon, cuire sans cesser de remuer jusqu'à absorption et répéter l'opération avec le liquide des artichauts et le bouillon restant. Le risotto doit être toujours frémissant. L'opération prend environ 20 minutes. Ajouter les cœurs d'artichaut après 15 minutes de cuisson. Saler et poivrer à volonté.

4 Retirer le risotto du feu, ajouter le beurre restant et mélanger. Incorporer le parmesan de sorte qu'il fonde et rectifier l'assaisonnement. Répartir le risotto dans des bols chauds, garnir de brins de persil et servir immédiatement.

risotto aux asperges & aux tomates séchées

ingrédients

POUR 4 PERSONNES

1 litre de bouillon de légumes ou de volaille, frémissant
1 cuil. à soupe d'huile d'olive
40 g de beurre
1 petit oignon, finement haché
6 tomates séchées au soleil, finement émincées
280 g de riz pour risotto
150 ml de vin blanc sec
225 g d'asperges fraîches, cuites
85 g de parmesan, fraîchement râpé
fines lanières de zeste de citron, en garniture
sel et poivre

méthode

1 Dans une casserole, chauffer l'huile et 25 g de beurre à feu moyen jusqu'à ce que le beurre ait fondu. Incorporer l'oignon et les tomates séchées, et cuire 5 minutes en remuant de temps en temps, jusqu'à ce que l'oignon soit tendre et commence à dorer.

2 Réduire le feu, ajouter le riz et cuire 2 à 3 minutes à feu moyen sans cesser de remuer, jusqu'à ce qu'il soit translucide. Mouiller avec le vin et cuire sans cesser de remuer jusqu'à ce que la préparation ait réduit.

3 Mouiller avec une louche de bouillon, cuire sans cesser de remuer jusqu'à absorption et répéter l'opération avec le bouillon restant. Le risotto doit être toujours frémissant. L'opération prend environ 20 minutes. Saler et poivrer.

4 Réserver quelques asperges entières pour la garniture, couper les asperges restantes en morceaux de 2,5 cm et incorporer au risotto après 15 minutes de cuisson.

5 Retirer le risotto du feu, ajouter le beurre restant et mélanger. Incorporer le parmesan de sorte qu'il fonde, répartir le risotto dans des assiettes chaudes et garnir d'asperges entières. Parsemer de zeste de citron et servir immédiatement.

risotto primavera

ingrédients

POUR 6 À 8 PERSONNES

1,5 l de bouillon de légumes ou de volaille, frémissant
225 g d'asperges fines fraîches
4 cuil. à soupe d'huile d'olive
175 g de haricots verts, coupés en tronçons de 2,5 cm
175 g de mini-courgettes, coupées en quartiers et en morceaux de 2,5 cm
225 g de petits pois écossés
1 oignon, finement haché
1 à 2 gousses d'ail, finement hachées
350 g de riz pour risotto
4 oignons verts, coupés en morceaux de 2,5 cm
55 g de beurre
115 g de parmesan, fraîchement râpé
2 cuil. à soupe de ciboulette fraîche ciselée
2 cuil. à soupe de basilic frais ciselé
sel et poivre
oignons verts, en garniture (facultatif)

méthode

1 Ébouter les asperges et couper en tronçons de 2,5 cm. Dans une poêle, chauffer 2 cuillerées à soupe d'huile, ajouter les asperges, les petits pois, les haricots verts et les courgettes, et faire revenir 3 à 4 minutes, jusqu'à ce que les légumes soient vert vif et juste tendres. Réserver.

2 Dans une casserole, chauffer l'huile restante, ajouter l'oignon et cuire 3 minutes en remuant de temps en temps, jusqu'à ce qu'il soit tendre. Incorporer l'ail et cuire encore 30 secondes.

3 Réduire le feu, ajouter le riz et cuire 2 à 3 minutes à feu moyen sans cesser de remuer, jusqu'à ce qu'il soit translucide. Mouiller avec une louche de bouillon, cuire sans cesser de remuer jusqu'à absorption et répéter l'opération avec le bouillon restant, excepté 2 cuillerées à soupe. Le risotto doit être toujours frémissant. L'opération prend environ 20 minutes.

4 Incorporer les légumes verts, les oignons verts et le bouillon restant, cuire encore 2 minutes en remuant souvent, saler et poivrer. Incorporer le beurre, le parmesan, la ciboulette et le basilic.

5 Retirer la casserole du feu, répartir le risotto dans quatre assiettes chaudes et garnir éventuellement d'oignons verts. Servir immédiatement.

risotto aux champignons sauvages

ingrédients

POUR 6 PERSONNES

55 g de cèpes séchés
1,2 l de bouillon de légumes ou de volaille, frémissant
500 g de champignons sauvages, les plus gros coupés en deux, et brossés
4 cuil. à soupe d'huile d'olive
3 ou 4 gousses d'ail, finement hachées
55 g de beurre
1 oignon, finement haché
350 g de riz pour risotto
50 ml de vermouth blanc sec
115 g de parmesan, fraîchement râpé
4 cuil. à soupe de persil plat frais haché
sel et poivre

méthode

1 Dans une terrine résistant à la chaleur, mettre les cèpes, couvrir d'eau bouillante et laisser tremper 30 minutes. Égoutter, sécher avec du papier absorbant et réserver. Filtrer le liquide de trempage et réserver.

2 Dans une poêle, chauffer 3 cuillerées à soupe d'huile, ajouter les champignons sauvages et faire revenir 1 à 2 minutes. Ajouter l'ail et les cèpes réhydratés, cuire 2 minutes en remuant souvent et transférer dans une assiette.

3 Dans une casserole, chauffer l'huile restante et la moitié du beurre, ajouter l'oignon et cuire 2 minutes à feu moyen en remuant de temps en temps, jusqu'à ce qu'il soit tendre. Réduire le feu, ajouter le riz et cuire 2 à 3 minutes à feu moyen sans cesser de remuer, jusqu'à ce qu'il soit translucide. Mouiller avec le vermouth et cuire 1 minute sans cesser de remuer, jusqu'à ce que la préparation ait réduit. Mouiller avec une louche de bouillon, cuire sans cesser de remuer jusqu'à absorption et répéter l'opération avec le bouillon restant. Le risotto doit être toujours frémissant. L'opération prend environ 20 minutes. Mouiller avec la moitié du liquide de trempage réservé, ajouter les champignons, saler et poivrer. Retirer la casserole du feu, ajouter le beurre, le parmesan et le persil, et servir immédiatement.

risotto aux quatre fromages

ingrédients

POUR 6 PERSONNES

1 litre de bouillon de légumes, frémissant
40 g de beurre
1 oignon, finement haché
350 g de riz pour risotto
200 ml de vin blanc sec
55 g de gorgonzola, émietté
55 g de fromage italien de type taleggio, râpé
55 g de fontina, râpé
55 g de parmesan, fraîchement râpé
sel et poivre
2 cuil. à soupe de persil plat frais haché, un peu plus pour garnir

méthode

1 Dans une casserole, faire fondre le beurre, ajouter l'oignon et faire revenir 5 minutes à feu doux en remuant de temps en temps. Ajouter le riz et cuire 2 à 3 minutes sans cesser de remuer, jusqu'à ce qu'il soit translucide.

2 Mouiller avec le vin et cuire sans cesser de remuer jusqu'à évaporation. Mouiller avec une louche de bouillon, cuire sans cesser de remuer jusqu'à absorption et répéter l'opération avec le bouillon restant. Le risotto doit être toujours frémissant. L'opération prend environ 20 minutes.

3 Retirer la casserole du feu, ajouter la fontina, le gorgonzola, le taleggio et un quart du parmesan, et mélanger jusqu'à ce qu'ils aient fondu. Saler, poivrer et transférer dans un plat de service chaud. Saupoudrer du parmesan restant, parsemer de persil et servir immédiatement.

pizzas aux tomates

ingrédients

POUR 2 PERSONNES

pâte

225 g de farine, un peu plus pour saupoudrer
1 cuil. à café de sel
1 cuil. à café de levure de boulanger déshydratée
1 cuil. à soupe d'huile d'olive, un peu plus pour graisser
6 cuil. à soupe d'eau, tiédie

garniture

6 tomates, coupées en rondelles
175 g de mozzarella, égouttée et coupée en fines tranches
sel et poivre
2 cuil. à soupe de basilic frais ciselé
2 cuil. à soupe d'huile d'olive

méthode

1 Pour la pâte, tamiser la farine et le sel dans une jatte, ajouter la levure et creuser un puits au centre. Verser l'huile et l'eau dans le puits et mélanger à l'aide d'une cuillère en bois ou avec les mains farinées.

2 Sur un plan fariné, pétrir la pâte 5 minutes, jusqu'à ce qu'elle soit souple et élastique. Mettre dans une jatte propre, couvrir de film alimentaire huilé et laisser lever 1 heure près d'une source de chaleur, jusqu'à ce qu'elle ait doublé de volume.

3 Pétrir brièvement sur le plan fariné, couper en deux et abaisser en ronds de 5 mm d'épaisseur. Transférer sur une plaque de four huilée et relever légèrement les bords avec les doigts de façon à donner de l'épaisseur à la croûte.

4 Pour la garniture, répartir les rondelles de tomates et de mozzarella en les alternant et en les faisant se chevaucher. Saler, poivrer, parsemer de basilic et arroser d'huile d'olive. Cuire au four préchauffé 15 à 20 minutes à 230 °C (th. 7-8), jusqu'à ce que la croûte soit croustillante et le fromage fondu. Servir immédiatement.

desserts

En Italie, les repas quotidiens se terminent par la dégustation d'un fruit frais, parfois d'un plateau de fromages. Lorsque l'occasion est festive, les Italiens savent concocter des mets aussi élégants que délicieux. Généralement, ils prennent le chemin d'une *pasticceria* pour acheter un gâteau élaboré, parfois celui d'une *gelateria* pour en rapporter les onctueuses crèmes glacées dont la réputation dépasse les frontières du pays.

Néanmoins, il existe de nombreux desserts italiens qui peuvent être préparés à la maison, et ce chapitre vous en offre un florilège. Une bonne partie des entremets les plus succulents proviennent du Sud, de la Sicile et de la Sardaigne où les fruits, les noix et le miel sont des ingrédients essentiels. Les vins, les liqueurs et les alcools font également de fréquentes apparitions. L'amaretto est une liqueur spéciale au goût d'amande ; le marsala, très riche, entre dans la composition du sabayon, un superbe dessert qui requiert de la patience et une bonne technique, car il doit être cuit puis immédiatement servi.

Un entremets italien « inventé » dans les années 1970 est devenu depuis un classique. Il s'agit du tiramisu, une génoise trempée dans un mélange de rhum et de café serré. Vous la napperez de mascarpone sucré, un délicat fromage crémeux qui entre dans la composition aussi bien de desserts que de mets salés.

cheesecake au chocolat & à l'amaretto

ingrédients

POUR 10 À 12 PERSONNES

huile, pour graisser
175 g de petits-beurre
55 g de biscuits amaretti
85 g de beurre

garniture

225 g de chocolat noir
400 g de ricotta
115 g de sucre roux en poudre
3 cuil. à soupe de farine
1 cuil. à café d'extrait de vanille
4 œufs
300 ml de crème fraîche épaisse
50 ml d'amaretto

nappage

1 cuil. à soupe d'amaretto
180 ml de crème fraîche épaisse
biscuits amaretti

méthode

1 Chemiser le fond d'un moule à manqué de 23 cm de papier d'aluminium et huiler les parois. Mettre tous les biscuits dans un sac en plastique et écraser à l'aide d'un rouleau à pâtisserie. Faire fondre le beurre, incorporer les miettes de biscuits et presser le mélange obtenu sur la base du moule. Mettre au réfrigérateur 1 heure.

2 Préchauffer le four à 160 °C (th. 5-6). Pour la garniture, faire fondre le chocolat dans une jatte disposée sur une casserole d'eau frémissante et laisser tiédir. Dans une autre jatte, mettre le fromage frais, fouetter et ajouter le sucre, la farine et l'extrait de vanille sans cesser de battre. Incorporer progressivement les œufs, le chocolat fondu, la crème fraîche et l'amaretto, répartir le tout dans le moule et cuire au four préchauffé 50 minutes à 1 heure, jusqu'à ce que la garniture ait pris.

3 Laisser refroidir complètement dans le four, en laissant la porte légèrement entrouverte. Passer un couteau le long des parois du moule de façon à détacher le gâteau et à le mettre au réfrigérateur 2 heures. Démouler sur un plat de service. Pour la garniture, incorporer l'amaretto à la crème fraîche, napper le gâteau et garnir de biscuits amaretti.

cheesecake à la ricotta

ingrédients

POUR 6 À 8 PERSONNES

pâte

175 g de farine, un peu plus pour saupoudrer
3 cuil. à soupe de sucre en poudre
1 pincée de sel
115 g de beurre, froid et coupé en dés
1 jaune d'œuf

garniture

450 g de ricotta
125 ml de crème fraîche épaisse
2 œufs entiers, plus 1 jaune
85 g de sucre en poudre
zeste finement râpé d'un citron
zeste finement râpé d'une orange

méthode

1 Pour la pâte, tamiser la farine, le sucre et le sel sur un plan de travail et creuser un puits au centre. Mettre le jaune d'œuf et le beurre dans le puits et incorporer avec les doigts de façon à obtenir une consistance de chapelure.

2 Compacter en boule et pétrir très légèrement. Prélever un quart de la pâte, envelopper de film alimentaire et réserver au réfrigérateur. Abaisser la pâte restante pour foncer un moule à tarte de 23 cm de diamètre à fond amovible et mettre au réfrigérateur 30 minutes.

3 Pour la garniture, battre la ricotta avec la crème fraîche, les œufs entiers, le jaune d'œuf, le sucre et les zestes, couvrir de film alimentaire et réserver au réfrigérateur.

4 Piquer le fond de tarte, chemiser de papier d'aluminium et garnir de haricots secs. Cuire à blanc au four préchauffé 15 minutes à 190 °C (th. 6-7). Sortir du four, retirer le papier et les haricots, et laisser refroidir.

5 Répartir la garniture dans le fond de tarte et lisser la surface. Abaisser la pâte réservée, couper en lanières et disposer sur la garniture en treillage en humectant les extrémités de sorte qu'elles adhèrent au bord de la tarte.

7 Cuire au four 30 à 35 minutes, jusqu'à ce que la garniture ait pris et qu'elle soit dorée. Laisser tiédir sur une grille, démouler et servir immédiatement.

gâteau aux amandes

ingrédients

POUR 12 À 14 PERSONNES

beurre, pour graisser
3 œufs, blancs et jaunes séparés
140 g de sucre en poudre
55 g de fécule de pomme de terre
140 g d'amandes, blanchies, mondées et finement hachées
zeste finement râpé d'une orange
135 ml de jus d'orange
sel
sucre glace, pour décorer

méthode

1 Beurrer un moule à fond amovible de 20 cm de diamètre. Dans une jatte, battre les œufs avec le sucre jusqu'à ce que le mélange blanchisse et fasse un ruban, incorporer la fécule de pomme de terre, les amandes, le zeste d'orange et le jus d'orange.

2 Dans une autre jatte, monter les blancs en neige avec 1 pincée de sel et incorporer délicatement à la préparation précédente.

3 Répartir la préparation obtenue dans le moule et cuire au four préchauffé 50 minutes à 1 heure à 170 °C (th. 5-6), jusqu'à ce que le gâteau soit doré et ferme. Démouler sur une grille, laisser refroidir et saupoudrer de sucre glace.

panforte

ingrédients

POUR 12 À 14 PERSONNES

115 g de noisettes
115 g d'amandes
85 g de zestes confits
55 g d'abricots secs, finement hachés
55 g d'ananas confit, finement haché
zeste râpé d'uneorange
55 g de farine
2 cuil. à soupe de cacao amer
1 cuil. à café de cannelle en poudre
1/4 de cuil. à café de coriandre en poudre
1/4 de cuil. à café de noix muscade fraîchement râpée
1/4 de cuil. à café de clou de girofle en poudre
115 g de sucre en poudre
175 g de miel
sucre glace, pour décorer

méthode

1 Chemiser de papier sulfurisé un moule de 20 cm de diamètre à fond amovible. Étaler les noisettes sur une plaque et cuire au four préchauffé 10 minutes à 180 °C (th. 6), jusqu'à ce qu'elles soient dorées. Sortir du four et frotter avec un torchon de façon à retirer la peau. Étaler les amandes sur la plaque et cuire au four 10 minutes, jusqu'à ce qu'elles soient dorées. Surveiller la cuisson car elles brûlent très vite. Réduire la température du four à 150 °C (th. 5). Hacher les noisettes et les amandes et mettre dans une jatte.

2 Ajouter les zestes confits, les abricots, le zeste d'orange et l'ananas. Tamiser la farine, le cacao et les épices en poudre dans la jatte et mélanger.

3 Dans une casserole, mettre le sucre et le miel, chauffer à feu doux sans cesser de remuer jusqu'à ce que le sucre soit dissous et porter à ébullition. Cuire 5 minutes, jusqu'à ce que le mélange épaississe et commence à brunir. Incorporer le mélange précédent dans la casserole et retirer du feu.

4 Répartir la préparation obtenue dans le moule, lisser la surface à l'aide d'une cuillère mouillée et cuire au four 1 heure. Transférer sur une grille et laisser refroidir.

5 Démouler, retirer le papier sulfurisé et saupoudrer de sucre glace. Couper en très fines parts.

terrine à la crème de marron & au chocolat

ingrédients

POUR 6 PERSONNES

200 ml de crème fraîche épaisse
115 g de chocolat noir, fondu et refroidi
100 ml de rhum
1 paquet de petits-beurre
225 g de crème de marron
cacao amer, pour décorer
sucre glace, pour décorer

méthode

1 Chemiser de film alimentaire un moule à cake d'une contenance de 450 g. Dans une jatte, fouetter la crème fraîche et incorporer le chocolat à l'aide d'une spatule.

2 Plonger 4 biscuits dans le rhum, répartir dans le fond du moule et répéter l'opération avec 4 autres biscuits. Napper avec la moitié de la crème chocolatée et couvrir avec 8 biscuits trempés dans le rhum. Napper avec la crème de marron et couvrir aussi avec 8 biscuits trempés dans le rhum. Ajouter la crème restante et terminer par 8 biscuits trempés dans le rhum. Couvrir de film alimentaire et mettre au réfrigérateur 8 heures ou une nuit entière.

3 Démouler la terrine sur un plat de service et saupoudrer de cacao. Découper des lanières de papier sulfurisé, placer sur la terrine au hasard et saupoudrer de sucre glace. Retirer délicatement les lanières de papier sulfurisé. Pour servir, plonger un couteau tranchant dans de l'eau très chaude, sécher et couper la terrine en tranches.

tiramisu

ingrédients

POUR 8 PERSONNES

beurre, pour graisser
3 œufs
140 g de sucre roux en poudre
90 g de farine levante
1 cuil. à soupe de cacao amer
150 ml de café serré, froid
2 cuil. à soupe de rhum
2 cuil. à café de cacao en poudre, pour décorer

garniture

375 g de mascarpone
225 ml de crème anglaise
55 g de sucre roux en poudre
100 g de chocolat noir, râpé

méthode

1 Préchauffer le four à 180 °C (th. 6). Beurrer un moule de 20 cm de diamètre et chemiser de papier sulfurisé. Dans une jatte, battre les œufs avec le sucre jusqu'à ce que le mélange blanchisse, tamiser la farine et le cacao dans la jatte et bien battre le tout. Répartir ensuite la préparation obtenue dans le moule et cuire au four préchauffé 30 minutes, jusqu'à ce que le centre du gâteau soit souple au toucher. Laisser reposer 5 minutes, démouler et laisser refroidir sur une grille.

2 Dans une jatte, mettre le café et le rhum, mélanger et réserver. Pour la garniture, mettre le mascarpone dans une jatte, fouetter et incorporer progressivement la crème anglaise et le sucre sans cesser de battre. Ajouter le chocolat râpé.

3 Couper le gâteau en trois dans l'épaisseur. Mettre la base sur un plat de service, arroser du mélange à base de café et couvrir avec un tiers du mélange à base de mascarpone et répéter l'opération deux fois. Mettre au réfrigérateur 3 heures, saupoudrer de cacao et servir.

pudding de Noël italien

ingrédients

POUR 10 PERSONNES

beurre, pour graisser
115 g d'un mélange de fruits confits, hachés
55 g de raisins secs
zeste râpé d'une demi-orange
3 cuil. à soupe de jus d'orange
3 cuil. à soupe de crème fraîche liquide
350 g de chocolat noir, haché
115 g de ricotta
115 g de biscuits amaretti, brisés en gros morceaux

accompagnement

125 ml de crème fouettée
2 cuil. à soupe d'amaretto
25 g de chocolat noir, râpé

méthode

1 Beurrer un moule d'une contenance de 850 ml. Dans une jatte, mettre les fruits confits, les raisins secs, le zeste et le jus d'orange, et bien mélanger. Dans une casserole, mettre la crème fraîche et le chocolat, chauffer à feu doux jusqu'à ce que le chocolat ait fondu et mélanger jusqu'à obtention d'une consistance homogène. Incorporer le mélange précédent et laisser refroidir.

2 Dans une jatte, mettre la ricotta et une petite partie de la préparation à base de fruits confits, battre jusqu'à obtention d'une consistance homogène et incorporer la préparation à base de fruits confits restante. Ajouter les biscuits, mélanger et répartir le tout dans le moule. Couvrir de film alimentaire et mettre une nuit au réfrigérateur.

3 Démouler sur un plat de service froid. Mettre la crème fouettée dans une jatte, ajouter la liqueur et fouetter jusqu'à épaississement. Napper le pudding de crème fouettée, parsemer de chocolat râpé et servir accompagné de la crème fouettée restante.

gâteau glacé sicilien

ingrédients

POUR 4 PERSONNES

génoise

6 œufs, blancs et jaunes séparés
200 g de sucre en poudre
85 g de farine levante
85 g de maïzena

garniture

500 g de ricotta
200 g de sucre en poudre
625 ml de marasquin
85 g de chocolat noir, haché
200 g de fruits confits, coupés en dés
300 ml de crème fraîche épaisse

décoration

cerises confites, angélique confite, zestes d'agrumes confits et amandes effilées

méthode

1 Dans une jatte, battre les jaunes d'œuf avec le sucre jusqu'à ce que le mélange blanchisse. Dans une autre jatte, battre les blancs en neige épaisse et incorporer au mélange.

2 Tamiser la farine et la maïzena dans la jatte, mélanger délicatement et répartir le tout dans un moule de 25 cm de diamètre chemisé de papier sulfurisé. Lisser la surface et cuire au four préchauffé 30 minutes à 180 °C (th. 6), jusqu'à ce que la génoise soit souple au toucher. Démouler sur une grille, retirer le papier sulfurisé et laisser refroidir.

3 Pour la garniture, mélanger la ricotta, le sucre et 425 ml de marasquin, incorporer le chocolat et les fruits confits, et bien battre le tout.

4 Couper la génoise en lanières de 1,25 cm d'épaisseur et en utiliser quelques unes pour chemiser le fond d'un moule à cake d'une contenance de 900 ml.

5 Répartir la garniture dans le moule, lisser la surface et couvrir avec les lanières de génoise restantes. Arroser du marasquin restant et mettre au réfrigérateur une nuit. Pour servir, démouler sur un plat de service, fouetter la crème fraîche et enrober le gâteau. Décorer de fruits confits et d'amandes effilées.

granita au citron

ingrédients

POUR 4 PERSONNES

450 ml d'eau

115 g de sucre cristallisé

225 ml de jus de citron

zeste râpé d'un citron

méthode

1 Dans une casserole, chauffer l'eau à feu doux, ajouter le sucre et cuire sans cesser de remuer jusqu'à ce que le sucre soit dissous. Porter à ébullition, retirer du feu et laisser refroidir.

2 Incorporer le zeste et le jus de citron, transférer dans une jatte adaptée à la congélation et mettre 3 à 4 heures au congélateur.

3 Retirer la jatte du congélateur, plonger le fond dans de l'eau chaude et démouler. Hacher grossièrement, mettre dans un robot de cuisine et mixer jusqu'à obtention d'une masse grenue. Répartir dans des coupes à dessert et servir immédiatement.

zucotto

ingrédients

POUR 6 PERSONNES

115 g de margarine, un peu plus pour graisser
100 g de farine levante
2 cuil. à soupe de cacao en poudre
1/2 cuil. à café de levure chimique
115 g de sucre roux en poudre
2 œufs, battus
3 cuil. à soupe de cognac
2 cuil. à soupe de kirsch

garniture

300 ml de crème fraîche épaisse
25 g de sucre glace, tamisé
55 g d'amandes grillées, hachées
225 g de cerises burlat, dénoyautées
55 g de chocolat noir, finement concassé

décoration

1 cuil. à soupe de cacao en poudre
1 cuil. à soupe de sucre glace
cerises fraîches

méthode

1 Préchauffer le four à 190 °C (th. 6-7). Beurrer et chemiser une plaque à biscuit roulé de 30 x 23 cm. Tamiser la farine, le cacao et la levure dans une jatte, ajouter le sucre, la margarine et les œufs, et battre énergiquement, jusqu'à obtention d'une consistance homogène. Garnir le moule, cuire au four préchauffé 15 à 20 minutes, jusqu'à ce que la génoise ait levé et soit ferme au toucher, et laisser tiédir 5 minutes. Démouler et laisser à refroidir sur une grille.

2 Découper un rond dans la génoise à l'aide d'un moule à baba d'une contenance de 1,2 l et réserver. Chemiser le moule de film alimentaire et découper la génoise restante pour tapisser les parois du moule. Dans une jatte, mettre le kirsch et le cognac, mélanger et arroser la génoise.

3 Pour la garniture, mettre la crème fraîche dans une jatte, ajouter le sucre glace et fouetter jusqu'à ce que le mélange épaississe. Ajouter les cerises, les amandes et le chocolat, garnir le moule tapissé de génoise avec la préparation obtenue et disposer le cercle réservé dessus en appuyant bien. Recouvrir avec une assiette en ajoutant un poids, mettre au réfrigérateur 6 à 8 heures, ou toute une nuit. Démouler le zucotto dans un plat, tamiser le cacao en poudre et le sucre glace en alternance sur le zucotto et garnir de cerises fraîches.

moelleux aux châtaignes

ingrédients

POUR 6 PERSONNES

450 g de châtaignes
300 ml de lait
1 feuille de laurier
1 bâton de cannelle de 2,5 cm
175 g de sucre en poudre
2 gros jaunes d'œufs
1/2 cuil. à café d'extrait de vanille
4 cuil. à soupe de rhum ambré
150 ml de crème fraîche épaisse, un peu plus pour décorer
beurre, pour graisser

méthode

1 Percer les châtaignes à l'aide d'un couteau tranchant et mettre dans une casserole. Couvrir d'eau froide, porter à ébullition et laisser bouillir 5 minutes. Retirer les châtaignes de l'eau, laisser tiédir et décortiquer en ôtant la membrane.

2 Dans une autre casserole, mettre le lait, les châtaignes, le laurier, la cannelle et la moitié du sucre, porter à ébullition sans cesser de remuer jusqu'à ce que le sucre soit dissous. Réduire le feu, couvrir et cuire 40 minutes à feu doux, jusqu'à ce que les châtaignes soient tendres. Retirer du feu et laisser refroidir. Retirer le laurier et la cannelle, transférer dans un robot de cuisine et réduire en purée.

3 Dans une jatte, battre les jaunes d'œufs avec le sucre jusqu'à ce que le mélange blanchisse et incorporer la vanille, le rhum et la purée. Fouetter la crème fraîche et ajouter dans la jatte.

4 Beurrer légèrement 6 ramequins, garnir de préparation et mettre sur une plaque. Cuire au four préchauffé 10 à 15 minutes à 180 °C (th. 6), jusqu'à ce que les moelleux aient pris.

5 Laisser refroidir complètement, couvrir et réserver au réfrigérateur. Démouler sur des assiettes à dessert, décorer de crème fouettée et servir.

sabayon

ingrédients

POUR 4 PERSONNES

4 jaunes d'œufs
60 g de sucre en poudre
5 cuil. à soupe de marsala
biscuits amaretti,
en accompagnement

méthode

1 Dans une jatte résistant à la chaleur, mettre les jaunes d'œufs et le sucre, et battre 1 minute.

2 Incorporer délicatement le marsala, disposer sur une casserole d'eau frémissante et battre vigoureusement 10 à 15 minutes, jusqu'à obtention d'une consistance épaisse, onctueuse et mousseuse.

3 Répartir dans des coupes à dessert et servir accompagné de biscuits amaretti.

sabayon au chocolat

ingrédients

POUR 4 PERSONNES

4 jaunes d'œufs
4 cuil. à soupe de sucre en poudre
50 g de chocolat noir
125 ml de marsala
cacao, pour saupoudrer
biscuits amaretti, en accompagnement

méthode

1 Dans une jatte, mettre les jaunes d'œufs et le sucre, et battre à l'aide d'un batteur électrique jusqu'à ce que le mélange blanchisse.

2 Râper finement le chocolat et incorporer à la préparation précédente à l'aide d'une spatule. Incorporer le marsala.

3 Disposer la jatte sur une casserole d'eau frémissante et cuire sans cesser de battre à l'aide d'un fouet ou d'un batteur électrique à vitesse réduite, jusqu'à ce que la préparation épaississe. Veiller à ne pas trop cuire de sorte que la préparation ne caille pas.

4 Répartir la préparation obtenue dans des coupes à dessert chaudes, saupoudrer de cacao et servir immédiatement, accompagné de biscuits amaretti.

crèmes au mascarpone

ingrédients

POUR 4 PERSONNES

115 g de biscuits amaretti, émiettés
4 cuil. à soupe d'amaretto
4 œufs, blancs et jaunes séparés
55 g de sucre en poudre
225 g de mascarpone
amandes effilées grillées, pour décorer

méthode

1 Dans une jatte, mettre les miettes de biscuits, ajouter l'amaretto et laisser infuser.

2 Battre les jaunes d'œufs avec le sucre jusqu'à ce que le mélange blanchisse, incorporer le mascarpone et les miettes de biscuits.

3 Battre les blancs d'œufs en neige ferme, incorporer progressivement à la préparation précédente et répartir le tout dans 4 coupes à glace. Mettre au congélateur 1 à 2 heures, parsemer d'amandes effilées et servir immédiatement.

dessert glacé au chocolat

ingrédients

POUR 4 À 6 PERSONNES

225 g de mascarpone
2 cuil. à soupe de grains de café finement moulus
25 g de sucre glace
85 g de chocolat, finement râpé
350 ml de crème fraîche épaisse, un peu plus pour décorer
marsala, en accompagnement

méthode

1 Dans une jatte, mettre le mascarpone, le café et le sucre glace, et bien battre le tout.

2 Réserver 4 cuillerées à soupe de chocolat râpé, ajouter le chocolat restant au mélange précédent et ajouter 5 cuillerées à soupe de crème fraîche épaisse.

3 Fouetter la crème fraîche restante, incorporer 1 cuillerée à soupe de la préparation précédente et ajouter la préparation restante en faisant des mouvements amples en forme de huit.

4 Transférer le tout dans une sorbetière et mettre au congélateur 3 heures.

5 Pour servir, répartir des boules dans des coupes à glace, arroser de marsala et garnir de crème fraîche épaisse fouettée. Parsemer du chocolat réservé et servir immédiatement.

petits soufflés au cappuccino

ingrédients

POUR 4 PERSONNES

beurre, pour graisser
2 cuil. à soupe de sucre roux en poudre, un peu plus pour saupoudrer
6 cuil. à soupe de crème fraîche épaisse
2 cuil. à café de café soluble
2 cuil. à café de Kahlúa
3 gros œufs, blancs et jaunes séparés
150 g de chocolat noir, fondu et refroidi
cacao en poudre, pour décorer
glace à la vanille, en accompagnement

méthode

1 Préchauffer le four à 190 °C (th. 6-7). Beurrer 6 ramequins d'une contenance de 175 ml, saupoudrer les parois de sucre en poudre et disposer sur une plaque de four. Dans une casserole, mettre la crème fraîche, chauffer à feu doux et ajouter le café en remuant, de façon à le dissoudre. Incorporer le Kahlúa et garnir les ramequins de la préparation obtenue.

2 Dans une jatte propre, monter les blancs d'œufs en neige ferme. Dans une autre jatte, mélanger les jaunes et le chocolat, ajouter un peu de blancs en neige et incorporer peu à peu les blancs en neige restants.

3 Répartir la préparation dans les ramequins, cuire au four préchauffé 15 minutes, jusqu'à ce que les soufflés soient juste cuis, et saupoudrer de cacao. Servir avec de la glace à la vanille.

panna cotta au café & sa sauce au chocolat

ingrédients

POUR 6 PERSONNES

huile, pour graisser
600 ml de crème fraîche épaisse
1 gousse de vanille, incisée, pulpe raclée et réservée
55 g de sucre roux en poudre
2 cuil. à café de café soluble en poudre, dissous dans 4 cuil. à soupe d'eau chaude
2 cuil. à café de gélatine en poudre
grains de café enrobés de chocolat, pour décorer

sauce

150 ml de crème fraîche liquide
55 g de chocolat noir, fondu

méthode

1 Huiler 6 ramequins d'une contenance de 150 ml. Dans une casserole, mettre la crème fraîche, ajouter le sucre, la gousse de vanille et la pulpe, et chauffer à feu doux jusqu'au point de frémissement. Filtrer, transférer dans une jatte résistant à la chaleur et réserver. Mettre le café dans une autre jatte résistant à la chaleur, saupoudrer de gélatine et laisser prendre 5 minutes, jusqu'à ce qu'elle mousse. Disposer la jatte sur une casserole d'eau frémissante et chauffer jusqu'à ce que la gélatine ait pris.

2 Ajouter un peu de crème vanillée à la gélatine, mélanger et incorporer la crème vanillée restante. Répartir dans les ramequins, laisser refroidir et mettre au réfrigérateur 8 heures à une nuit.

3 Pour la sauce, mettre un quart de la crème fraîche dans une jatte et incorporer le chocolat fondu. Incorporer la crème fraîche restante en réservant 1 cuillerée à soupe. Pour servir, plonger le fond des ramequins dans de l'eau chaude, démouler sur des assiettes à dessert et napper de crème chocolatée. Verser quelques gouttes de crème fraîche liquide et créer des motifs en y passant la pointe d'une pique à cocktail. Garnir de grains de café enrobés de chocolat et saupoudrer de cacao.

cerises au marsala

ingrédients

POUR 4 PERSONNES

140 g de sucre en poudre
zeste d'un citron
1 bâton de cannelle de 5 cm
250 ml d'eau
250 ml de marsala
900 g de cerises, dénoyautées
150 ml de crème fraîche épaisse

méthode

1 Dans une casserole, mettre le sucre, le zeste de citron, le bâton de cannelle, le marsala et l'eau, et porter à ébullition sans cesser de remuer. Réduire le feu, laisser mijoter 5 minutes et retirer le bâton de cannelle.

2 Ajouter les cerises, couvrir et laisser mijoter 10 minutes à feu doux. Transférer les cerises dans une jatte.

3 Remettre la casserole sur le feu, porter à ébullition à feu vif et laisser bouillir 3 à 4 minutes, jusqu'à obtention d'une consistance sirupeuse. Napper les cerises, laisser refroidir et mettre 1 heure au réfrigérateur.

4 Fouetter la crème fraîche, répartir les cerises en sirop dans 4 coupes à dessert et garnir de crème fouettée. Servir immédiatement.

a
agneau
épicé aux olives noires 86
rôti au romarin
& au marsala 82
agnolotti aux légumes 170
antipasti 18
artichauts à la romaine 32
aubergines
à la mozzarella
& au parmesan 158

b
bœuf en sauce
au vin rouge 56
bouillon de bœuf
aux œufs 12
boulettes
d'épinards à la ricotta
162
de viande & spaghettis
48
de viande surprise 60

c
cannelloni
aux champignons 176
aux épinards
& à la ricotta 70
carpaccio de bœuf mariné
20
caponata 28
cerises au marsala 238
cheesecake
à la ricotta 206
au chocolat
& à l'amaretto 204
crèmes au mascarpone
230
crostinis au poulet 26

d
dessert glacé au chocolat
232
dorade rôtie au fenouil 110

e
espadon aux olives
& aux câpres 112

f
fettuccines aux cèpes
& aux noix
de Saint-Jacques 144
figues & jambon
de Parme 22
filets de porc au fenouil 64
filets de sole & leur sauce
tomate 120
fusillis au gorgonzola
& aux champignons
178

g
gâteau
aux amandes 208
glacé sicilien 218
granité au citron 220
gratin
d'aubergines
aux tomates 160
de macaronis aux fruits
de mer 140
de pâtes au porc 66
de pâtes aux
champignons 174
de spaghettis au saumon
& aux crevettes 136
gnocchis au thon,
à l'ail, au citron,
aux câpres &
aux olives 130

h
haricots au thon 126

l
lasagnes 58
végétariennes 168
linguine
à l'ail grillé & au
poivron rouge 182
au saumon fumé
& à la roquette 134
aux anchois, aux olives
& aux câpres 118

m
minestrone 10
moelleux aux châtaignes
224

o
omelette aux fruits de mer
128

p
panna cotta au café
& sa sauce au chocolat
236
pappardelle au poulet
& aux cèpes 96
pâtes
all'arrabrita 184
au pepperoni 78
estivales 138
pennes
aux champignons
& leur sauce
crémeuse 172
aux poivrons
& au fromage
de chèvre 180
petits gratins de fruits
de mer 150
petits soufflés
au cappuccino 234
pizza
aux fruits de mer 154
des quatre saisons 80
pizzas aux tomates 200
porc à la mozzarella
& au prosciutto 62
poulet toscan 94
prosciutto & roquette 24
pudding de Noël italien
216

r
radiatore & leur sauce
au potiron 166
raviolis
au poulet 98
épinards & ricotta 164
risotto
à la saucisse
& au romarin 76
à la sole & à la tomate
122
au poulet grillé 104
au poulet, aux noix
de cajou & aux
champignons 102
au thon & aux pignons
132
aux asperges
& aux crevettes 142
aux asperges & aux
tomates séchées 192
aux boulettes de porc 68
aux champignons
sauvages 196
aux cœurs d'artichaut
190
aux légumes grillés 188
aux quatre fromages
198
de calmar au beurre
à l'ail 148
épicé à l'agneau 88
primavera 194
safrané aux noix de
Saint-Jacques 146
vert à la menthe 186

s
sabayon 226
au chocolat 228
salade
aux tomates séchées
& à la mozzarella 42
de pâtes aux poivrons
grillés 34
de pâtes chaude 36
de roquette
aux artichauts 44
de tomates
à la mozzarella 38
tricolore 40
saltim bocca 90
sardines grillées
& leur sauce au citron
116
saucisses aux haricots 74
soupe
aux haricots blancs 14
de légumes génoise 16
de tomates 8
souris d'agneau
aux oignons rôtis 84
spaghettis
à la bolognaise 50
à la carbonara 72
aux palourdes 152
steak grillé aux tomates
& à l'ail 54

t
tagliatelles & leur sauce
à la viande 52
terrine à la crème
de marron &
au chocolat 212
thon à la sicilienne 124
tiramisu 214
tomates farcies
à la sicilienne 30
tortellinis au poulet 100
truites et leur sauce
au vin rouge
& au citron 114

v
veau
à la milanaise 92
vivaneau aux câpres
& aux olives 108

z
zucotto 222